D0548383
IEEK

Klas van 25

Hoezo verliefd?

In de serie *Klas van 25* zijn de volgende delen verschenen:

Hartsvriendinnen

Het geheim van Luuk

Yasmin & friends

Hoezo verliefd?

Ada Ooms

Nur: 283/GGP090901

Omslagontwerp: Design Team Kluitman

www.kluitman.nl

Bij Koninklijke Beschikking
Hofleverancier

HOOFDSTUK 1

'Hey, hey, hey, hey,' zingt Yasmin. Ze heeft haar hoed met de motorbril op. 'Hey, hey, hey!' Ze laat de microfoon naar beneden hangen en bevriest.

Mees speelt nog één akkoord op zijn gitaar, er klinken drie tonen uit een bas en een slag op de bekkens. Dan valt er een diepe stilte.

Jurre buigt zijn hoofd naar de microfoon. 'Jongens en meisjes, voor jullie spelen...' Hij laat zijn gitaar los en spreidt zijn armen wijd uit. 'Yasmin and friends! En die friends zijn Daniël...'

Daniël speelt een razendsnel basloopje. De zaal klapt.

'Hessel...'

Hessel roffelt van links naar rechts over zijn trommels en weer terug. De zaal klapt en schreeuwt.

'Mees...'

De zaal klapt en schreeuwt en fluit al, nog voordat Mees een paar akkoorden heeft laten horen. Zijn wangen gloeien van trots.

'...en ik, Jurre!'

Een enorm gejuich klinkt op. Jurre speelt de melodielijn van het nummer waar ze net mee bezig waren en met elkaar maken ze het af. Yasmin danst over het podium en zingt de sterren van de hemel. Mees moet steeds naar haar kijken. Ze ziet er zo gaaf uit!

Het is de laatste dag voor de herfstvakantie en groep acht treedt op voor de hele school. De band is het spetterende hoogtepunt van de middag. Speciaal voor de kleuters hebben ze een liedje van een beroemde meidengroep ingestudeerd.

Daniël en Jurre zijn al veertien en vonden het eerst maar niks. 'Kinderachtig gedoe.'

Maar hun gitaarleraar zei dat ze juist allerlei soorten muziek moesten spelen. 'Goed voor jullie ontwikkeling.'

Al bij de eerste tonen herkennen de kinderen het lied. Yasmin wijst met de microfoon naar de zaal. 'Zingen jullie mee?'

Dat doen ze en het klinkt fantastisch. Een paar meisjes doen in het gangpad het dansje dat erbij hoort. Mees probeert de pasjes op het podium. Daniël en Jurre grijnzen breed. In de zaal hangen tien spotlights die uit verschillende hoeken naar het podium schijnen. Jim uit groep acht zit naast het podium achter een gordijn en draait heel professioneel aan de lichtknoppen. Zo schijnen er bundels licht in alle kleuren van de regenboog over de band.

De rest van groep acht zit achteraan op tafels. Melanie staat zelfs boven op een tafel te dansen, maar een gebaar van meester Leo maakt dat ze zich snel weer tussen Luuk en Julia laat zakken. Ze klapt boven haar hoofd in haar handen en iedereen doet mee. Zelfs de meesters en de juffen kunnen niet stil blijven staan.

Een kleuter op de eerste rij springt op en speelt luchtgitaar. Mees schiet in de lach, omdat het er zo grappig stoer uitziet. Hadden ze elke week maar zo'n optreden!

In hun laatste nummer heeft Hessel een drumsolo. De bandleden doen een stapje opzij en kijken naar hem. Mees heeft met Jim afgesproken dat hij dan het licht dimt en een spot alleen op Hessel richt. Hij zit in een bundel blauw licht te drummen of zijn leven ervan afhangt. Na de solo gaat de blauwe spot uit en staat de hele band weer in het volle licht. Mees steekt gauw zijn duim op naar Jim, die breed teruglacht.

Het publiek juicht en joelt.

'Dankjewel! Jullie zijn cool,' roept Jurre. 'Dankjewel!'

De leden van de band buigen en zwaaien en stappen het podium af. De meesters en de juffen gaan met hun klassen terug naar hun eigen lokaal en alleen groep acht blijft achter.

Een paar jongens stapelen de stoelen op om ruimte te maken om te dansen. Het was een idee van Melanie en Julia geweest om na schooltijd een feestje te houden met hun eigen klas.

'Een afterparty!' noemde Melanie het. 'De band is er toch! Ah meester, mag het?'

Meester Leo moest eerst overleggen met de andere leerkrachten. Dat wordt natuurlijk niks, dachten ze allemaal.

'Op voorwaarde dat jullie na afloop helpen om de rommel op te ruimen,' was het verrassende antwoord. 'En als jullie cola willen en chips, dan moeten jullie dat zelf kopen.'

Maar dat was niet nodig, want Sem en Anouk zijn in de herfstvakantie jarig en zij trakteren.

Mees slentert de zaal in en wordt bijna omvergelopen door een groep meiden. Ze zijn op weg naar het handenarbeidlokaal, dat voor deze gelegenheid als verkleedruimte dienstdoet. Bij de deur van het lokaal blijft Mees staan. Hij hoort de meiden napraten over de voorstelling.

'Zo gaaf, Yasmin!'

'Hoe je dat doet!'

'Ik vind de hele band geweldig. En die Jurre is zó cool!'

Gegiechel, stemmen door elkaar, Mees kan het niet precies volgen, maar de naam Jurre komt wel erg vaak voor. Dan hoort hij de stem van Yasmin.

'Het toneelstuk was ook hartstikke leuk, Melanie. Zo gelachen! Dat je zelf zo'n hele tekst kan schrijven, knap hoor!'

'Samen met Tinka, hè! Zij heeft het meeste bedacht.'

Bijna de hele klas heeft wel iets gedaan: Bibi en Nikita speelden poppenkast, Mustafa gaf een demonstratie breakdance, Alex, Luuk en Jaap presenteerden een sportquiz waar de meester en twee juffen aan meededen, en zelfs Jim, die veel te verlegen is om op het podium te staan, kon trots zijn op zijn taak als 'man van het licht'.

'Opgepast, personeel!' klinkt het achter Mees. De meester komt langs met een lange ladder op zijn nek. Frederieke en Veerle lopen bij hem met kartonnen dozen in hun handen.

Midden in de zaal klapt de meester de ladder uit en hij bevestigt een S-vormige haak aan het plafond. Zijn dochter haalt een enorme zilverkleurige bal uit de doos. Hij bestaat uit heel veel kleine vlakjes die het licht alle kanten op weerkaatsen.

'Een discobal!' zegt Mees.

'Gaaf hè?' lacht Frederieke. 'In die andere dozen zitten drie kleintjes.'

De meester pakt het zilveren koord van de bal. 'Let even op dat er niemand tegen de ladder aan rent!' Voorzichtig klimt hij weer naar boven en bevestigt het koord aan de haak.

Jim kijkt er met een kennersblik naar. 'Er moeten een paar spotjes op.' Hij rent naar het knoppenbord en probeert hoe hij het mooiste effect krijgt. 'Niks meer aan doen,' zegt hij tevreden.

De meester kijkt op zijn horloge. Hij doet de deur van het handenarbeidlokaal op een kiertje open. 'Dames, over drie minuten gaan we beginnen!' De protesten spoelen als een vloedgolf over hem heen, maar hij trekt zich er niets van aan. 'Twee en een half,' roept hij.

'Wat doen ze daar toch allemaal?' vraagt Mees.

De meester steekt zijn armen wanhopig in de lucht. 'Zich mooi maken of zo?'

'Zó lang?'

De meester zucht. 'Ik kan wel horen dat jij geen zussen hebt.'

Bij de bar tussen het keukentje en de zaal trekken Sem en Anouk grote zakken chips open en schudden ze leeg in plastic bakjes. Naast een krat cola ligt een stapel bekertjes en op de bar staat een enorme schaal met Engelse drop.

Mees zoekt een roze snoepje uit. 'Lekker!' Hij hoort een felle roffel op het drumstel. De halve band staat al op het podium. Mees stopt nog even snel een handvol snoep in zijn broekzak.

Op hetzelfde moment gaat de deur van het handenarbeidlokaal open. De meiden stormen de zaal in en gaan meteen dicht bij elkaar op de dansvloer staan. Ze giechelen allemaal en sommige kijken verlegen naar de grond.

'Wij zijn er klaar voor,' roept Melanie naar de band.

Yasmin komt als laatste uit de verkleedruimte. Ze heeft haar roze boa omgeslagen en haar lippen in precies dezelfde kleur gestift. Ze heeft een ander truitje aangetrokken. Het is ultrakort en bij haar navel glinstert iets.

Mees staat in drie haastige stappen naast haar. Hij kijkt ongelovig naar haar navel. Het glinsterdingetje is een sterretje. 'Is dat een piercing?'

Yasmin buigt haar hoofd naar hem toe. 'Nep,' fluistert ze met haar lippen vlak bij zijn wang.

Haar adem kriebelt warm langs zijn oor, zodat Mees huiverend zijn schouders optrekt.

Ze wijst op een paar sterretjes op haar wangen. 'Opgeplakt, net als deze.'

Mees knikt. Hij zou willen zeggen hoe mooi hij haar vindt en hoe... en hoe... maar hij weet zo gauw de goede woorden niet. 'Cool,' zegt hij dan maar.

Yasmin hoort het niet, want ze stapt het podium al op. Mees gaat snel achter haar aan. Jurre speelt een paar tonen. Even kijkt Mees verbaasd, maar dan herkent hij het melodietje.

'Voor Anouk,' zegt Jurre en de hele zaal zingt *Happy Birthday*. Na het 'hieperdepiep hoera hoera hoera' doen ze alles nog een keer over voor Sem.

Hessel wacht niet tot het laatste hoera voorbij is. Hij tikt vier keer op de kleine trommel en de gitaristen vallen in. Yasmin draait het snoer van de microfoon losjes om haar hand.

Het klinkt lekker. Mees zingt de tekst mee in zijn hoofd. Vooral niet hardop, want als hij dat doet, lijkt hij precies op een schorre kraai, vindt zijn gitaarleraar.

Mees weet dat hij het niet gemeen bedoelt. 'Een schorre

méés!' zegt hij altijd.

Opeens ziet hij de flits van een fototoestel achter in de zaal, en nog een. Mees herkent de fotograaf. Zijn moeder! Foto's van hun eerste officiële optreden! Hij maakt bewegingen met zijn gitaar die hij gitaristen op tv heeft zien doen.

'Gaaf, Mees,' roept zijn moeder.

Het licht van de spotjes wordt duizend keer weerkaatst door de discoballen. Jim doet echt zijn best: paars, roze, rood, of alles tegelijk. En in dat licht zijn de meiden aan het dansen in korte rokjes en spannende truitjes. Ze hebben zich ontzettend opgetut met lippenstift en oogschaduw en nog veel meer.

Toch is Yasmin de mooiste, denkt Mees. Zoals zij over het podium stapt met haar hoge laarzen, is ze een échte rockster!

Stoer kijkt hij de zaal in. Doordat hij nogal klein is, ziet hij nooit wat als hij tussen anderen staat. Nu wel! Het podium is niet erg hoog, maar hoog genoeg om over iedereen heen te kunnen kijken.

De jongens staan langs de kant met een bekertje cola in hun hand. Ze kijken alleen maar naar de dansende meiden en naar de band. Sasja en Melanie dansen het mooist. Die twee zouden zo in een videoclip kunnen. Sasja's blonde vlechtjes zwieren om haar hoofd.

Mees ziet dat Melanie iets tegen Julia zegt. Julia lacht en danst achter haar aan naar de zijkant. Melanie grijpt de arm van Luuk en trekt hem de dansvloer op. Julia pakt Alex. De jongens grijnzen naar de anderen, maar ze dansen wel mee. Nou ja, dansen...

Mustafa en Ruben komen er nu ook bij. Ruben ontpopt zich

als een echte danser. Hij pakt Anouks hand en laat haar ronddraaien. De andere kinderen maken een kring om hen heen en klappen in hun handen. Ruben en Anouk dansen hand in hand naar elkaar toe en weer uit elkaar. Anouk neemt een aanloopje en springt tegen Ruben op. Hij vangt haar, laat haar kiepen, komt rechtop en duwt haar af. Met een sprong belandt ze op de dansvloer.

'Oeoeoe,' zucht het publiek.

'Dat wil ik ook,' gilt Melanie boven de muziek uit.

Maar Ruben lacht, schudt zijn hoofd en danst verder met Anouk.

Als het nummer afgelopen is, dromt een heel stel meiden om hen heen.

'Van mijn zus geleerd,' hoort Mees Ruben zeggen.

Of hij wil of niet, Ruben moet ook Melanie een keer laten kiepen. En dan Sasja en dan Tess en dan...

'Doe dat nummer nog eens,' roept Melanie naar de band.

'Verzoeknummers kosten een drankje,' lacht Jurre.

De meester brengt bekertjes cola naar het podium.

Jurre kondigt het volgende nummer aan. 'Graag jullie speciale aandacht voor onze eerste eigen song, geschreven door Daniël en mijzelf: *Magic Music*!'

De gitaristen zetten alle drie tegelijk in. Dit klinkt wel even ruig. Yasmin maakt opzwepende gebaren naar het publiek en speelt met de roze boa. De boa kleurt fantastisch bij haar zwarte haar, waar ze een paar roze lokken in heeft gespoten.

Zonder haar was de band lang niet zo cool, denkt Mees.

Het refrein zingt Yasmin samen met Jurre. Ze loopt met een

plagerige blik in haar ogen naar hem toe en werpt de boa om hem heen.

Mees weet niet wat hij ziet. Dit heeft ze tijdens de repetities nog nooit gedaan. Snel kijkt hij naar Hessel, die geconcentreerd zit te drummen en niets in de gaten heeft. Daniël glimlacht dommig naar het publiek.

Yasmin houdt de uiteinden van de boa in één hand en langzaam trekt ze Jurre naar zich toe. Hij kijkt diep in haar ogen en als hij vlak bij haar is, zingen ze met hun hoofden tegen elkaar in dezelfde microfoon.

Hebben die twee dit afgesproken? Mees voelt hoe zijn nekharen overeind staan, zijn oren suizen. Hij mist zelfs een akkoord en als hij het eindelijk gevonden heeft, moet hij alweer het volgende spelen. Het klinkt lelijk en vanuit zijn ooghoek ziet hij Daniëls kwaaie blik. Snel probeert hij er weer in te komen. Het lukt, maar dan ziet hij hoe Yasmin de boa van Jurres nek trekt en hij haar een dikke knipoog geeft. Ze stuurt een stralende lach naar hem terug.

Weer speelt Mees een verkeerd akkoord. Behalve een nog bozere Daniël kijken Hessel en Jurre nu ook naar hem.

Het zweet breekt Mees uit en hij stopt even met spelen. Hij kijkt naar de vingers van zijn linkerhand, die als verlamd op de snaren rusten.

Hessel geeft een extra harde roffel op zijn trommels.

Stomstomstom, moppert Mees in zichzelf, doe normaal! Hij mompelt de akkoorden voor zich uit: 'C, G7, C, F.' Zo moeilijk is het niet! Zijn vingers bewegen over de snaren en hij hoort dat het weer klopt. Hij durft niet naar de zaal te kijken en al helemaal niet naar Yasmin. Pas als het nummer uit is en het publiek klapt en joelt, wordt hij wat rustiger. Zij hebben het gelukkig niet gemerkt, denkt hij.

Dan spelen ze nog één keer het 'Hey hey hey'-lied en is het optreden voorbij. De zaal juicht en de band buigt en zwaait.

Eenmaal naast het podium, komt Daniël naar Mees toe. 'Wat stond jij nou te klooien? Je hoeft alleen maar drie simpele akkoordjes te spelen en zelfs daarvan weet je nog een zootje te maken. Beginneling!'

Mees maakt een slaande beweging met zijn hand zonder zijn broer te raken. 'Effe dimmen, hè! Niemand heeft het gemerkt.' Snel kijkt hij om zich heen waar Yasmin is.

Gelukkig staat er een kringetje meiden om haar heen en heeft ze de opmerking van Daniël niet gehoord.

'Daar gaat het niet om!' moppert Daniël door. 'Wíj hebben het gemerkt! Je mag blij zijn dat Hessel het opgevangen heeft en dat wij niet in de war geraakt zijn.'

Mees schudt zijn haar naar achteren en doet de hoes om zijn gitaar. Dan gaat hij Hessel helpen met het afbreken van zijn drumstel.

Als de discoballen weer in de dozen zitten, alle plastic bekertjes zijn opgeraapt en in de prullenbakken gegooid en sommige kinderen al naar huis gaan, ziet Mees zijn vader binnenkomen. Hij zal de spullen van de band in zijn aanhangwagentje naar de oefenruimte terugbrengen.

'Hoi, pap.'

'Ha kerel, ging het goed? Volgens mama ging de hele zaal uit zijn dak,' zegt zijn vader.

De instrumenten staan ingepakt klaar voor vervoer. De jongens dragen alles naar buiten.

Yasmin heeft haar gewone kleren weer aan. 'Zal ik helpen?' Ze brengt een microfoonstandaard naar buiten.

Mees kijkt goed rond of ze niks vergeten hebben. De zaal is helemaal leeg. Alleen Frederieke wacht nog op haar vader, die het licht uitdoet. Met z'n drieën lopen ze naar buiten. De meester maakt een praatje met Mees' vader en dan kunnen ze weg. Daniël en Jurre zitten al in de auto.

'En jullie?' Mees' vader kijkt naar Hessel en Yasmin.

'Wij zijn met de fiets. Ik kom wel achter jullie aan om te helpen met het drumstel,' biedt Hessel aan.

De vader van Mees schudt zijn hoofd. 'Gaan jullie maar lekker samen naar huis, dat drumstel doen wij wel. Hup Mees, instappen.'

De auto rijdt het schoolplein af en vlak voordat ze de bocht omgaan, kijkt Mees achterom. Hij ziet nog net dat Hessel en Yasmin samen de straat uit fietsen.

Het is al zes uur geweest als Mees en zijn vader thuiskomen. Daniël is met Jurre meegegaan. Hij mag met Jurre en zijn familie op vakantie. Ze vertrekken vanavond nog naar een huisje in de Ardennen.

Lekker rustig, vindt Mees, een hele week zonder Daniël! Een hele week zonder dat gepest en getreiter van hem.

Zijn moeder zit achter haar laptop. 'Kijk Mees, ik heb de foto's van de band erop gezet.'

'Gaaf, mam!' Een paar foto's van de hele band, een dansende Yasmin, Daniël die met een serieus gezicht staat te spelen, een actiefoto van Mees met zijn gitaar schuin omhoog en dan een van Yasmin en Jurre samen: Jurre met de boa om zijn nek en hun hoofden tegen elkaar aan. Snel klikt Mees verder.

'Kom je eten?' roept zijn moeder uit de keuken.

Mees schept zijn bord vol. 'Ik wil die foto's op mijn eigen computer zetten,' zegt hij tussen twee happen rijst met saus door. 'Straks neem ik je camera mee naar boven, goed?'

'Kun jij dat dan?' vraagt zijn moeder.

'Mám!' Het klinkt verontwaardigd.

Ze lacht. 'Ja, stom van me.'

Zijn ouders praten verder over iets op de zaak van zijn vader. Zodra Mees zijn bord leeg heeft, vertrekt hij naar zijn kamer. Het duurt niet lang of de foto's staan op zijn computer. Er is er een van Yasmin van heel dichtbij. Haar krullen vormen een lijstje om haar gezicht en haar donkerbruine ogen stralen Mees tegemoet. Hij zet zijn ellebogen op zijn bureau, steunt zijn hoofd in zijn handen en kijkt.

En kijkt.

En zucht.

En klikt eindelijk verder. Een foto van Jurre. In gedachten hoort Mees de meiden in het handenarbeidlokaal: 'Die Jurre is zó cool!'

Zó cool, zó cool... Nou, eh... Mees kijkt nog eens goed naar de foto. Wat is daar nou zo cool aan? Jurres halflange donkerblonde haar piekt alle kanten op. Beetje domme kop, eigenlijk.

Hij zoekt een foto van de hele band en vergelijkt Jurre met zichzelf. Zijn eigen blonde haar valt sluik om zijn hoofd, waardoor het nogal klein lijkt. Maar ja, een groot hoofd op zijn kleine lijf zou er helemaal niet uitzien. Jurre is een stuk groter, heeft bredere schouders ook. Zou dat het zijn waar die meiden op vallen? Dan kan hij het wel vergeten.

Hij klikt door de serie foto's heen en blijft hangen bij die ene van Jurre en Yasmin samen.

Aan hun monden zie je dat ze hetzelfde zingen. Hun ogen kijken recht in de camera. Niks bijzonders, maar...

Moeten ze nou echt hun hoofden zó dicht tegen elkaar aan houden? Een beetje minder kan toch ook wel? En Yasmin is begonnen, zij heeft hem met die boa naar zich toe getrokken. Opeens nijdig klikt hij de foto's weg en zet de computer uit. Hij sjokt de trap af en gaat in de kamer voor de tv hangen.

De volgende morgen slaapt Mees uit. Het is zaterdag, het is

vakantie, en omdat Daniël en Jurre weg zijn, is er geen repetitie met de band. Vandaag hoeft Mees dus helemaal niks. Het is dan ook al bijna middag als hij naar de badkamer gaat. In de spiegel ziet hij zijn slaperige gezicht. Zijn haar hangt warrig voor zijn ogen. Hij veegt het opzij en kijkt opeens oplettend in de spiegel. Zijn haar lijkt zo een beetje op dat van Jurre. Die ziet er altijd uit alsof hij net uit bed komt.

Na het douchen wrijft hij zijn haar droog met de baddoek, pakt de kam, maar bedenkt zich. Als ik het kam, zit het meteen keurig glad. Dat is niks.

Hij gaat zich eerst maar eens aankleden en staat wat later weer voor de spiegel. Wat een rare kop, met dat slappe haar. Het ziet er wel ongekamd uit, maar helemaal niet cool. Hij prutst er een tijdje aan, zonder het gewenste resultaat.

Opeens klaart zijn gezicht op. Daniël smeert soms gel in zijn haar. Stom, vond Mees altijd. Maar daar komt hij nu van terug. Hij haalt de pot gel uit Daniëls kamer.

Hoeveel zou ik moeten nemen? twijfelt hij. Op goed geluk wrijft hij een flinke klodder van het spul op zijn hoofd. Gatver! Alsof een verkouden reus over hem heen heeft geniesd. Met een baddoek veegt hij over zijn haar.

Hé, nu ziet het er weer uit als toen ik net uit bed kwam, constateert hij. Hij trekt wat plukken haar omhoog. Dat is het! Goedkeurend draait hij zijn hoofd heen en weer. Hij verrekt bijna zijn nek om de achterkant te kunnen zien. Als ik mijn vingers van beneden naar boven over mijn achterhoofd haal, dan moet het ook daar goed zitten, denkt hij.

Het is stil in huis; zijn ouders zijn er niet. In de keuken pakt hij een kom, strooit er cornflakes in en schenkt er melk over. Met een lepel in zijn ene hand en de kom in de andere loopt hij naar de kamer en gaat op de bank zitten. Op de tv zoekt hij een muziekzender.

Als hij de kom leeg terugbrengt naar de keuken, ziet hij een briefje naast de telefoon liggen.

Wij zijn boodschappen doen en meteen door naar de woonwinkel. Zijn om een uur of drie wel weer thuis. Doei, mam.

Mees kijkt op de klok van de oven. Kwart over een. Ze eten vast ergens in de stad, denkt hij. Hij pakt een broodje uit de kast, smeert er pindakaas op en neemt een hap. Buiten ziet het er grijs uit. Wat een saaie dag, zeg. Drie happen later is het broodje op.

En nu? Als Daniël nou thuis was geweest... Mét hem is niks, en zonder hem is helemaal niks.

Doelloos slentert hij door de hal, naar de garage, terug naar de kamer en pakt dan de telefoon. Hij toetst het nummer van Hessel in.

'Ik kan niet weg,' zegt Hessel. 'Kom jij maar naar mij.'

En vlak voordat hij de verbinding verbreekt, hoort Mees hem nog roepen: 'Neem je gitaar mee!'

Even later pakt hij zijn jas van de kapstok. Op het briefje van zijn moeder schrijft hij: *Ben ff weg, doei.* Met zijn gitaar op zijn rug rijdt hij de straat uit. Als hij door het park fietst, ziet hij in de verte een meisje met een klein wit hondje.

'Hé, Melanie,' roept Mees. Hij racet naar haar toe en remt pas als hij vlakbij is. Zijn fiets slipt en hij zet snel zijn linkervoet op de grond.

Melanies ogen worden groot van verbazing. 'Je háár! Wat heb je met je haar gedaan?'

Mees grijnst. 'Vind je het niet leuk, dan?'

Ze strekt haar hand uit en voelt voorzichtig aan zijn kapsel. 'Het is keihard, man. Er zit veel te veel gel in. Jij doet toch nooit gel?'

'Ik wou eens wat anders.'

'Dan moet je het korter laten knippen. En niet zo veel erin.'

'Korter?' twijfelt Mees.

Melanie kijkt naar zijn gitaar. 'Ga je repeteren? Wat was het gaaf gisteren, hè? Die band van jullie is echt goed!' Ze wordt weer opgewonden bij de herinnering.

'We gaan nog veel beter worden. Met eigen teksten en zo!'

'Yasmin is echt fantastisch! Hoe zij zingt en danst!' vindt Melanie.

'Goed, hè?' Mees knikt heftig.

'En met die boa met Jurre! Zo grappig!' gaat Melanie door. 'Alle meiden zijn op hem.'

'Waarom eigenlijk?'

'Gewoon, hoe hij eruitziet en zo.' Melanie trekt aan de hondenriem. 'Kom Ajax, we moeten terug. Ik ga straks met Luuk en zijn moeder naar de film. Doei!' Maar voordat ze wegloopt, kijkt ze hem nog even met half toegeknepen ogen aan. 'Hmmm, doe toch maar niet, je haar knippen.'

'En net zei je nog korter. Jij weet ook niet wat je wilt.'

'Het is mijn hoofd niet. Je moet het zelf weten.' Ze zwaait en trekt haar hondje mee.

Mees fietst langs het dierentehuis, over de brug en langs de haven. Bij Chow Fun, de snackbar, staan wat jongens en meiden die hij niet kent en dan komt hij op de dijk.

In de stad was het windstil, maar hier merk je dat het toch wel waait. Het is een beetje miezerig. Je kunt het geen regen noemen en toch word je er nat van.

Mees zet zijn capuchon op en trapt wat harder. In de verte ziet hij Oostsluisjesdijk al liggen. Een van de eerste huizen is dat van de opa en oma van Yasmin. Als hij er bijna is, gaat hij langzamer rijden. Nieuwsgierig kijkt hij naar binnen. Yasmins oma zit voor het raam te lezen. Achter het raam boven is niets te zien. Een tijdje geleden is hij met Hessel bij Yasmin geweest. Toen zaten ze in de keuken aan de achterkant van het huis.

Bij Hessel staat een kinderfietsje tegen de muur van het huis en een ander ligt breeduit op het pad. Mees gooit zijn fiets in de heg en loopt achterom. Meteen ziet hij Hessel in de achterkamer aan de tafel zitten met twee van zijn drie zusjes. Mees tikt tegen het raam en loopt door naar binnen.

Hessel en zijn zusjes spelen mens-erger-je-niet.

'Doe je mee?' vraagt Mirte meteen.

'Ja, dan mag jij groen,' helpt Marit.

De meisjes zijn een tweeling en lijken precies op elkaar. Je ziet alleen verschil als ze lachen: Marit mist twee voortanden, terwijl Mirte nog moet beginnen met wisselen.

'Daar heeft Mees helemaal geen zin in,' zegt Hessel.

'Wel, hè?' bedelt Mirte.

'Jullie kunnen best samen spelen,' probeert haar broer.

'Nietes. Jij moest met ons een spelletje doen van mama.' Marit zet de pionnetjes terug bij het beginpunt. 'Ik heb geel en

Mirte heeft rood en Hessel blauw. We beginnen opnieuw.'

Hessel kijkt verontschuldigend naar Mees en dan op zijn horloge. 'Mijn moeder had hoofdpijn. Ze slaapt nu, net als Lisa.'

'Is Lisa ook ziek dan?'

'Nee, maar als je nog maar twee bent... Over een half uur zou mijn moeder weer beneden zijn.'

'Geeft niks,' zegt Mees. Hij gaat naast Mirte zitten. Het is honderd jaar geleden dat hij mens-erger-je-niet heeft gespeeld. 'Hoe gaat het ook alweer?'

'Eerst zes gooien,' zegt Marit. Ze laat de dobbelsteen rollen. 'Twee.'

Mirte kijkt aandachtig naar Mees. Ze klimt omhoog tot ze op de stoel staat en strekt haar hand uit naar zijn hoofd. Zachtjes timmert ze op zijn haar, dat nog steeds alle kanten op piekt. 'Au,' giechelt ze. 'Moet je voelen, Marit!'

Even later meppen de zusjes samen op zijn hoofd.

'Willen jullie nou nog een spelletje doen of niet?' vraagt Hessel. 'Ik heb zes.'

Dat helpt. Al gauw zijn ze allemaal verdiept in het spel.

Later zitten Mees en Hessel samen in de drumschuur. Daar staat het drumstel van Hessels vader.

'Moet je horen.' Hessel trommelt een grappig ritme. 'Vanmorgen bedacht.'

Mees beweegt mee met zijn hoofd. 'Je kunt er een zinnetje bij maken, eh...' Hij knipt met zijn vingers het ritme mee. 'Eh... de állerbeste band is Yasmin and friends.' Hij speelt wat akkoorden en neuriet een melodietje.

'Het rijmt nog bijna ook.' Hessel knikt goedkeurend. 'Het

ging goed hè, gisteren?'

'Echt wel!' Mees probeert de melodielijn op zijn gitaar te spelen en Hessel drumt zachtjes mee.

'Wil je cola of zo?' vraagt Hessel na een tijdje.

In het andere deel van de schuur staat een koelkast met flesjes bier en blikjes fris. De jongens trekken een blikje open.

'Heb je Ruben zien dansen?' vraagt Hessel tussen twee slokken door. 'Ik wist niet dat hij dat zo goed kon.'

'Van zijn zus geleerd,' legt Mees uit.

'Van wie zou Yasmin het geleerd hebben?' vraagt Hessel zich af. 'Zij voert gewoon een hele show op!'

Mees knikt aarzelend. 'Hoe vond jij dat gedoe met die boa?' En als Hessel hem vragend aankijkt, voegt hij eraan toe: 'Met Jurre. Toen ze samen dat refrein zongen.'

'O, dat.' Hessel pakt zijn stokjes en trommelt het ritme van zonet nog een keer. Dan haalt hij zijn schouders op. 'Ik weet ook een zinnetje.' Zachtjes trommelt hij bij de woorden: 'Het allergekste haar is het haar van Mees.'

Mees trekt een lelijk gezicht. 'Ha ha! Het rijmt niet en nog erger: het slaat nergens op.'

Zijn vriend trekt plagerig zijn wenkbrauwen op en drumt stug door.

'Toch?' Mees voelt aan zijn haar. 'Vind je het echt niks?'

'Het is jouw haar. Bedenk nog eens een andere zin.'

Maar dat lukt nu even niet. Mees heeft wel iets belangrijkers aan zijn hoofd dan zijn haar. Hij tokkelt een melodietje, probeert wat lastige akkoorden en vraagt het daarna nog een keer: 'Wat vond je dan van die boa?'

'Die boa vind ik wel mooi. Goed voor de show.'

Mees zet zijn gitaar tegen de muur. Zou Hessel nou echt niet begrijpen wat hij bedoelt? 'Maar hoe ze samen met Jurre... Het lijkt wel of ze gek op hem is,' gooit hij er dan uit.

'Omdat ze met die boa...? Man, waar maak je je druk om?' Hessel kijkt zijn vriend onderzoekend aan en opeens meent hij het te begrijpen. 'Je bent zelf verliefd op haar!'

'Joh, doe effe normaal. Verliefd! Rot op, zeg.'

Hessel grinnikt en speelt het ritme van daarstraks weer. 'Het allerleukste stel zijn Yasmin en Mees!'

Mees grijpt zijn gitaar en dreigt hem op Hessels hoofd kapot te slaan. Hessel duikt schaterend weg.

'Bedenk jij nou maar een ander ritme! Doe ik de teksten wel,' moppert Mees.

En dan spelen ze verder, zonder nog over Yasmin of Jurre te praten, tot Mees vindt dat hij naar huis moet.

Hessel loopt met hem mee naar de straat. Hij roept Mees na: 'Die kant op is korter, hoor!'

Mees steekt zijn hand op en doet alsof hij Hessel niet verstaat. Hij weet best dat je langs die kant sneller bij de dijk bent, maar dan kom je niet langs het huis van Yasmin.

Haar oma zit niet meer voor het raam. Yasmin is ook nergens te zien. Die Hessel is echt niet wijs met zijn verliefd, denkt Mees terwijl hij de dijk op fietst. Het blijft een akelig eind naar Woerdrecht.

Halverwege komt hem een auto tegemoet, waarin iemand zit te zwaaien. Verbaasd probeert hij te ontdekken wie het is en op het laatste moment herkent hij het gezicht van Yasmin.

De auto zoeft voorbij. Mees zit meteen achterstevoren op de fiets en zwaait slingerend terug tot ze om de bocht verdwijnen. Hij gaat weer recht zitten en haalt diep adem. Ze was natuurlijk met haar opa naar haar moeder, weet hij opeens. Ze zwaaide echt vrolijk. Het leek wel of ze het leuk vond om hem te zien, denkt Mees. Hij kijkt nog een keer achterom naar de lege dijk. Stomme Hessel. Verliefd! Op Yasmin. Belachelijk!

Ze heeft wel de mooiste naam van de klas. Yasmin. Van de school, de stad, de wereld. Yasmin. Yasmijn! Was het maar waar!

Zijn ouders zitten in de keuken aan de koffie.

'Wat heb je met je haar gedaan?' roept zijn moeder als hij nog maar half binnen is.

Zijn vader schiet in de lach.

'Ja, nou weet ik het wel,' mompelt Mees en hij loopt rechtstreeks naar boven om zijn haar te gaan wassen.

Hoofdstuk 3

'Zo, jij hebt er zin in,' zegt zijn vader als Mees de maandag na de vakantie beneden komt.

'Hoezo? Waarin?' Mees kijkt lichtelijk verstoord naar zijn vader, die aan het nieuwe koffiezetapparaat staat te prutsen.

'In school toch?'

'Hm, gaat nogal.' Het klinkt alsof hij wel duizend leukere dingen kan bedenken.

'Nou ja, omdat je zo vroeg bent. Zeven uur!'

Het apparaat pruttelt en blaast stoom af, maar het kopje dat eronder staat, blijft leeg.

'Niemand heeft zin in school, pap. Ik heb zin om iedereen weer te zien.' En vooral Yasmin, denkt hij, maar dat zegt hij natuurlijk niet.

De herfstvakantie is na dat eerste saaie begin omgevlogen. Hessel en hij zaten bijna elke dag in de schuur om een nieuwe song te bedenken, maar dat was lastiger dan ze dachten. Ze hebben bij Mees thuis zitten gamen, totdat zijn moeder vond dat ze naar buiten moesten. Gelukkig waren er toen een heel stel jongens op het schoolplein aan het voetballen.

Hij is naar de verjaardag van Sem geweest. Melanie en Julia waren ook op het feestje. Jammer dat Yasmin er niet was. De laatste keer dat hij haar gezien heeft, was in die auto op de dijk. En toen zag hij haar niet eens goed. Hij heeft natuurlijk wel haar foto's bekeken op de computer. Elke dag.

Mees maakt een kom cornflakes voor zichzelf en kijkt toe hoe zijn vader met het koffiezetapparaat worstelt.

'Je moet eerst dit opzij doen en dan... kijk, zo!' Mees doet het voor en even later piest het ding een straaltje donkerbruin vocht in het kopje.

Zijn vader bromt iets lelijks. 'Het vorige apparaat was toch makkelijker.' Vijf minuten later vertrekt hij naar de zaak.

Mees eet zijn kom leeg en gaat weer naar boven. Zijn moeder komt net uit de badkamer. Kan hij er meteen in. Daniël slaapt nog. Die mazzelaar heeft op maandag de eerste twee uur vrij.

Mees poetst zijn tanden en prutst een tijd aan zijn haar. Het moet eruitzien alsof hij net uit bed komt. Helemaal niet kammen helpt, maar echt cool is het nog niet. Er staat boven de wastafel een potje met een soort vet dat zijn vader wel eens in zijn haar smeert. Wijs geworden door het gedoe met de gel neemt hij een heel klein beetje van het spul en wrijft met zijn vingers door zijn haar.

Mwah! Misschien moet ik het toch lang laten groeien, denkt hij.

In zijn kamer pakt hij zijn rugzak met zijn schoolspullen.

Zijn moeder zit in de keuken met een kopje koffie en de krant.

'Papa snapt het koffiezetapparaat niet,' zegt Mees.

Ze grinnikt. 'Over het vorige heeft hij ook een maand gedaan.'

Mees doet de deur open. 'Ik ben weg. Doei.'

'Tot vanmiddag. Heb je alles?'
'Jahaa. Doei.' En weg is hij.

Het regent. Nee, het stort!

Met een noodvaart fietst Mees naar school. Hijgend duwt hij zijn fiets in het rek en blijft onder de overkapping staan. Over een kwartier begint de school, maar het plein is leeg.

O, de deur staat al open, ziet Mees. Normaal mogen ze niet zo vroeg naar binnen, maar bij slecht weer wel.

Bij de ingang van het plein stopt een auto. Er stappen drie meisjes en een jongen uit. Ze trekken hun capuchon over hun hoofd en rennen naar de deur. Mees herkent ze toch: Hessel, Sasja, Tinka en Yasmin.

Hij sprint over het schoolplein en loopt dan achter hen aan naar binnen. 'Hé, watjes,' roept hij uitdagend.

Ze kijken lachend om. Hessel stompt hem tegen zijn arm.

'Mijn moeder heeft ons gebracht,' zegt Tinka.

'Aardig, hè,' vindt Sasja. 'Je zal dat hele end door dat rotweer...'

Yasmin glimlacht naar Mees. 'Jammer dat jij aan de andere kant van de stad woont, anders hadden we jou ook wel opgehaald.'

Dat vindt Mees eigenlijk heel lief, maar hij houdt zich stoer. 'Je smelt er niet van, hoor!' Hij trekt zijn regenjack uit en schudt zijn hoofd. Zijn spijkerbroek ziet zwart en het water druipt uit zijn haar in zijn ogen. Het prikt een beetje. Van dat vet misschien, denkt hij.

Melanie en Luuk komen binnen onder een paraplu.

De anderen schieten in de lach.
'Een plu! Stelletje mutsen,' plaagt Mees.
De mutsen lachen mee.
'Jij lijkt wel een verzopen kat,' vindt Luuk.
'Net jij, toen je Ajax* gered had,' zegt Melanie tegen hem.
In het lokaal staan andere natgeregende kinderen met hun benen tegen de verwarming gedrukt. De ramen beslaan door al die dampende kleren. Mees gaat bij hen staan en probeert met zijn trui zijn haar droog te wrijven.
Na een tijdje vraagt de meester of ze in de kring komen.
Mees pakt zijn stoel en ziet dat Yasmin tussen Melanie en Sasja zit. Hij gaat schuin tegenover haar zitten, het maakt hem niet uit naast wie. Als hij niet naast haar kan zitten, dan maar zo dat hij haar goed kan zien.
Een van de meiden krijgt de eerste beurt. Mees luistert met een half oor en kijkt af en toe naar Yasmin. Niet te lang achter elkaar, want dan valt het op. Yasmin kijkt bijna steeds naar haar handen. Ze frummelt aan een armband, die Mees nog niet eerder heeft gezien. Haar witte trui ziet er heel zacht uit. In zijn gedachten streelt hij met zijn handen over de trui. Alsof ze het voelt, kijkt ze op. Hun blikken kruisen elkaar. Ze glimlacht en hij glimlacht terug. Maar er is iets vreemds in haar blik. Het is net of ze hem niet echt aankijkt. Ze kijkt hoger, naar iets boven hem. Mees kijkt omhoog, maar daar is niks bijzonders te zien. Als hij weer naar Yasmin kijkt, schudt ze haar krullen naar achteren. Opeens begrijpt hij het: ze keek naar zijn haar! Hij brengt voorzichtig zijn hand omhoog en zij knikt bijna onmerkbaar. Zijn haar ziet er natuurlijk niet uit. Hij kamt

**Het geheim van Luuk*

een paar keer met zijn vingers over zijn hoofd. Nu lacht Yasmin haar witte tanden bloot. Mees trekt een gezicht. Dat stomme haar ook. Hij draait zich naar de meester en kijkt niet meer naar Yasmin.

Meester Leo maakt een eind aan het kringgesprek. 'Ik heb ook nog wat te vertellen. Het is nu eind oktober en misschien denken jullie er nog niet aan, maar over zes weken is het sinterklaas.'

Meteen roepen ze allemaal door elkaar.

'O jááá! Zin in!'

'Mijn moeder heeft al pepernoten gekocht.'

'Pepernoten, hè lekker!'

'Vroeger dacht ik altijd aan sinterklaas. Maakte ik het hele jaar verlanglijstjes!'

'Het is dus de hoogste tijd om aan de sintmusical te beginnen,' gaat de meester door. 'Jullie weten wel dat groep acht dat elk jaar doet. Een korte voorstelling over Sinterklaas met veel liedjes erin. Is meteen een goede oefening voor de musical aan het eind van het schooljaar.' Hij probeert met handgebaren de kinderen stil te krijgen, maar er is geen beginnen aan.

Iedereen roept nu naar iedereen.

De meester leunt glimlachend achterover tot het eindelijk rustig wordt. 'Het is de bedoeling dat jullie het zelf doen met een klein beetje hulp van mij. En we beginnen nu meteen, dus ga naar je plaats en pak pen en papier.'

Om in de sfeer te komen, schrijven ze eerst zo veel mogelijk titels van liedjes op.

'Om te beginnen moeten we een sterk verhaal hebben,' zegt

de meester. 'Als je de liedteksten goed bekijkt, komen de ideeën vanzelf.'

'Hoe gaan ze ook alweer?' vraagt Mees.

Meteen begint Sasja *Zie ginds komt de stoomboot* te zingen. Andere kinderen doen al gauw mee.

Mees kijkt vol bewondering naar Hessel, die zonder problemen de hele tekst meebrult. 'Dat je dat weet!' zucht hij als het lied uit is.

'Kleine zusjes,' legt Hessel uit.

'Nu een moeilijke,' zegt de meester. '*Zachtjes gaan de paardenvoetjes.*'

'Trippeltrappeltrippeltrap,' vult Sasja meteen aan. En daar gaat ze weer. Zo af en toe weet de rest ook een zinnetje, maar het leeuwendeel komt van haar.

Tot de pauze zingen ze het ene lied na het andere. Dan stuurt de meester hen naar buiten. Het is inmiddels droog geworden, maar ze gaan toch onder de overkapping van het fietsenhok bij elkaar staan. Kinderen van andere groepen worden weggestuurd, want wat ze bespreken, is strikt geheim.

'Brainstormen, jongens,' zegt Melanie. 'Wie heeft er een idee?'

Eh... tja, eh... Mees en Luuk en Tess en Julia en eigenlijk alle anderen kijken elkaar vragend aan.

'Moeilijk, hoor,' vindt Julia.

De anderen schudden hun hoofd.

'Wat deden ze vorig jaar?' vraagt Tinka.

Eh... tja, eh... De gezichten staan op nadenken maar het helpt niet echt.

'We moeten bedenken welke liedjes we kunnen uitbeelden,' zegt Emma opeens.

Alle hoofden draaien in haar richting.

Tjee, Emma! denkt Mees. Emma zegt nooit wat, maar dit is wel sterk. Hij steekt zijn duim op. 'Goed plan!'

'Ja hallo, trippeltrappel met een echt paard op het dak van de school!' smaalt Frederieke.

'Wij hebben een paard,' zegt Sasja bedachtzaam. 'Maar dat is geen schimmel.'

Alex weet een oplossing. 'Dan spuiten we hem wit. Moeten we hem alleen nog op het dak takelen.'

Er wordt hier en daar gegrinnikt, maar de meeste kinderen denken serieus na.

'*Zie de maan schijnt door de bomen*,' bedenkt Jim. 'Met een geknutselde boom en een mooi bleekblauw spotje erop!'

'Hartstikke goed,' vindt Melanie. 'En dan spelen we een huiskamer waar kinderen hun schoen zetten.'

'En dat ze de volgende ochtend gaan kijken wat erin zit,' vult Mees aan.

'*O, kom maar eens kijken*,' lacht Sasja. 'Dat zijn er al twee.'

Het is een goed begin, maar dan wordt het weer vervelend stil. Iedereen kijkt wat rond en er wordt veel gezucht.

'Roep nog eens iets,' probeert Melanie de boel weer op gang te krijgen.

'Heeft iemand een stoomboot thuis?' vraagt Sem. 'Kunnen we *Zie ginds* doen.'

'Ha ha, en hoe moet het dan met de oceaan?' Fredje weer, natuurlijk.

De stemming wordt nu wat giechelig.
'We doen de musical in het zwembad!'
'Of we laten een speelgoedbootje in een teil dobberen.'
'En dan mag het paard van Sasja het dek op en neer huppelen!'
'Doe niet zo flauw!' roept Melanie opeens nijdig. 'Zo komen we nooit aan een goed verhaal.'
Het is even stil. Mees ziet dat sommige jongens elkaar aanstoten en met hun hoofd naar het voetbalpleintje knikken.
Maar voordat ze weglopen, komt Luuk met een idee. 'Het hoeft geen echte boot te zijn. Als we foto's nemen van de aankomst van Sinterklaas in de haven, dan maken we er een Powerpoint-presentatie van. En dan combineren we die met de musical.'
De monden vallen open.
'Wat een goed idee,' zegt Julia.
En Melanie kijkt trots naar haar buurjongen en dan naar de anderen. Háár vriendje hè, die zulke goeie invallen heeft!
De bel gaat. Meestal heeft groep acht niet zo'n haast, maar nu sjokken ze toch vrij vlot naar de deur.
Mees heeft gemerkt dat Yasmin niet meedeed aan het brainstormen. Ze stond er wel bij, maar haar gedachten leken ergens anders. Hij zorgt ervoor dat hij naast haar komt te lopen.
Yasmin kijkt hem geheimzinnig aan. 'Ik heb een idee,' zegt ze zo zacht dat de rest het niet hoort. Maar dan zwijgt ze.
'Wat dan?' dringt Mees aan.
'Ssst, om twaalf uur. Hessel moet er ook bij zijn.' Ze legt haar

vinger tegen haar lippen.

Mees staat stil van verbazing. Maar omdat Yasmin gewoon doorloopt, haar jas op de kapstok hangt en de klas in gaat, is het te laat om door te vragen.

Even later schuift hij naast Hessel op zijn plaats. 'Heeft Yasmin iets tegen jou gezegd?'

Hessels gezicht wordt een vraagteken. 'Wat dan?'

'Dat weet ik nou juist niet.'

Meester Leo kijkt in hun richting. Hij wil beginnen met de les.

'Om twaalf uur,' fluistert Mees nog gauw.

Hessel knikt bijna onmerkbaar.

De meester geeft hun de opdracht om alle ideeën voor de musical op te schrijven. 'Misschien kun je zelfs een verhaal maken of gesprekjes bedenken. Alles is goed. Later kiezen we wel welke onderdelen we gebruiken.'

De meeste kinderen beginnen meteen. Sommige kauwen op hun pen, andere frummelen wat aan hun schrift, maar eindelijk zit iedereen te schrijven.

Mees vraagt zich af of hij nu op moet schrijven wat ze in de pauze besproken hebben. Als iedereen dat doet, hebben we allemaal hetzelfde, denkt hij. Dat schiet natuurlijk niet op. *Sinterklaas* schrijft hij op de eerste regel. En daaronder *speculaas.*

Kaas.

Dwaas.

Zijn ogen dwalen langs het rijtje woorden. Wat gek, denkt hij. Hij heeft ze eigenlijk niet echt bedacht. Het is alsof hij alleen maar zijn pen vastgehouden heeft en de woorden vanzelf op het papier gekomen zijn. Je zou er maar zo een liedje van kunnen maken.

Wist je dat van Sinterklaas?
Hij lust zelf geen speculaas.
Hij eet altijd brood met kaas.
Wat een dwaas!

Met zijn elleboog stoot hij Hessel aan en hij schuift zijn opstelschrift naar hem toe.

Hessel kijkt verstoord op, leest dan de tekst en schiet in de lach. 'Hoe verzin je het?' fluistert hij.

Mees haalt zijn schouders op.

'Moet je ook over Zwarte Piet doen,' bedenkt Hessel en hij buigt zich weer over zijn eigen schrift.

Zwarte Piet schrijft Mees. Wat rijmt er op Piet?

Niet. Sabbelend op de achterkant van zijn pen herhaalt hij de woorden in zijn hoofd. Piet, niet, Piet, niet...

Schuin voor hem zit Shanna. Mees kan vanaf zijn plek precies op haar schrift kijken. De bladzijde is nog helemaal leeg. Haar pen ligt erop. Van haar gezicht ziet hij alleen de zijkant. Haar blonde haar krult om haar oor. Ze steunt met haar ellebogen op de bank en haar hoofd rust in haar handen. Geen inspiratie zeker, denkt Mees.

Hij gaat weer aan het werk. Zwarte Piet, niet, Piet, niet... Tiet, weet hij opeens. Grinnikend voegt hij het woord toe aan het rijtje. Nou nog één.

Weer kijkt hij naar Shanna. Ze veegt met haar hand over haar wang en wrijft in haar ogen. Huilt ze? Verbaasd blijft hij naar haar kijken. Nu haalt ze haar neus op. Wat gek, denkt hij. Zo erg is het toch niet als je geen ideeën hebt? Of zou ze niet lekker zijn?

Mees richt zijn blik op de meester om te zien of hij wel in de gaten heeft dat er iets met Shanna is. Maar die zit schriften na te kijken. Hij stoot Hessel aan en wijst met zijn pen naar Shanna. Hessel kijkt even, trekt zijn wenkbrauwen op en schrijft verder.

Net als Mees zijn vinger op wil steken om de meester te waarschuwen, legt die zijn rode pen neer. 'De tijd zit erop, volgende keer verder. We gaan nu aardrijkskunde doen. Ruben en Anouk, delen jullie de werkboekjes uit?'

Mees ziet dat Shanna haar opstelschrift al opgeborgen heeft. Hij kijkt nog even naar zijn rijtje: Zwarte Piet, niet, tiet...

Verdriet schrijft hij eronder en hij slaat zijn schrift dicht.

Om twaalf uur blijven Mees en Hessel wat rondhangen in de gang tot Yasmin de klas uit komt. Bijna alle kinderen zijn al naar huis of naar het overblijflokaal. Daar moeten Yasmin en Hessel ook naartoe. Met z'n drieën slenteren ze erheen.

Mees kan zijn nieuwsgierigheid niet langer bedwingen. 'Wat is er nou?'

'Ik dacht...' begint Yasmin. Ze kijkt geheimzinnig om zich heen. 'Ik dacht, maar misschien vinden jullie het niks...' Weer aarzelt ze.

'Zeg het nou maar gewoon,' dringt Mees aan.

'Als jij het bedacht hebt, kán het niet niks zijn,' zegt Hessel.

Mees kijkt zijn vriend verwonderd aan. Wat goed gezegd, hé. Hij wou dat hij het zelf bedacht had!

'Ik dacht... bij die musical, als we nou eens vragen of de band de muziek mag doen.' Hoopvol, maar ook een beetje verlegen, kijkt ze van de een naar de ander.

De jongens zijn te verbaasd om iets te zeggen.

'Sinterklaasliedjes zijn toch niet zó moeilijk?' voegt Yasmin eraan toe.

Nee nee, schudden de jongens hun hoofd.

Wat een geweldig idee, denkt Mees.

'Dat kan alleen jij bedenken,' prijst Hessel.

'Joh, slijmjurk,' zegt Mees. 'Maar, eh... het is wel waar, het is een wereldplan! Zullen we het meteen aan de meester gaan vragen?'

'Moeten we het niet eerst met Jurre en Daniël overleggen?' stelt Yasmin voor.

'Kan ook,' vindt Hessel.

'Nee, eerst de meester,' beslist Mees. 'Als we zeker weten dat het mag, doen ze vast wel mee. Anders vinden ze het misschien weer kinderachtig.'

Ze rennen terug naar de klas en de meester vindt het een strak plan.

'Nog niet aan de klas vertellen hoor, meester,' zegt Yasmin. 'Pas als we zeker weten dat Jurre en Daniël ook mee willen doen.'

De meester belooft het en Hessel en Yasmin gaan voor de tweede keer op weg naar het overblijflokaal. Mees kijkt hen een tikje jaloers na. Hij moet gewoon naar huis om te eten, maar hij was veel liever met hen meegegaan.

Die middag op school wordt er eerst gerekend en daarna moeten ze naar gym.

Als ze terug zijn, vraagt meester Leo of ze in de kring komen. 'Neem je opstelschrift mee,' voegt hij eraan toe.

Het is een heel gestommel, maar eindelijk zit iedereen.

'Ik ben nieuwsgierig wat jullie tot nu toe bedacht hebben. Luuk, wil jij voorlezen wat je hebt opgeschreven?'

Luuk doet zijn schrift open. 'Het is geen verhaal, meester. Vanmorgen in de pauze hadden we het over een Powerpointpresentatie en nu heb ik opgeschreven waar ik foto's van wil maken,' vertelt hij.

De meester kijkt verbaasd. 'Het zou over de musical gaan, Luuk. Je moet wel bij het onderwerp blijven.'

'Nah, het is ook voor de musical.' Luuk legt uit wat ze die ochtend in de pauze bedacht hebben en leest voor wat hij allemaal wil fotograferen. 'De boot in de verte, de boot dichtbij, de boot bij de aanlegsteiger, Sinterklaas zelf natuurlijk, het paard... en het publiek. En het zou het leukste zijn als jullie dan ook tussen het publiek staan.' Hij gebaart naar zijn klasgenoten.

'Wat een fantastisch plan,' prijst de meester. 'Ik wist wel dat jullie goede ideeën zouden hebben, maar dit had ik niet verwacht. Ik ben benieuwd wat er nog meer bedacht is.'

De een na de ander krijgt de beurt.

Jim heeft wel een heel apart voorstel. 'Ik heb thuis een cd met allerlei geluiden die we erbij kunnen gebruiken.'

'Geluiden?' De meester kijkt vaag.

'Het ruisen van de zee bijvoorbeeld,' legt Jim uit. 'En paardenhoeven en storm en nog veel meer.'

'We kijken hoe we dat inpassen,' belooft de meester.

Natuurlijk heeft lang niet iedereen een origineel plan, maar zo met elkaar komen ze een heel eind. Als Mees zijn gedichtje voorleest, moeten ze erg lachen.

'Nu een over Zwarte Piet,' roept Melanie.

'Dat zei Hessel ook al,' zegt Mees. 'Maar dat heb ik nog niet.'

Hessel, die naast hem zit, werpt een blik in Mees' schrift. 'Ha, maar de rijmwoorden heeft hij al wel!' roept hij met een brede grijns op zijn gezicht.

Mees geeft hem als dank een stoot met zijn elleboog. 'Hou je mond, joh!'

'Laat maar horen,' zegt de meester.

Nee hè, denkt Mees, terwijl hij zijn rijtje woorden bekijkt. Hoe moet hij zich hier nu weer uit redden? Hij houdt zijn schrift half dicht, zodat Luuk, die aan zijn andere kant zit, er niet in kan kijken.

'Toe maar,' spoort de meester hem aan. 'Niet zo verlegen. Dat ben je anders ook niet.'

Mees kucht. 'Eh... Zwarte Piet,' begint hij en hij wacht even. 'Niet.' Hij wacht weer, terwijl zijn hersens op volle toeren werken om voor het volgende woord iets anders te bedenken.

'Dat wordt wel een heel kort lied,' vindt Melanie.

'Lied, verdriet,' zegt Mees gauw en hij slaat zijn schrift dicht. Tot zijn stomme verbazing weet hij opeens ook de hele tekst. Het rolt zo zijn mond uit.

'Daar is Zwarte Piet.
Zingen kan hij niet.
Toch zingt hij een lied.
Wat een verdriet.'

Mees kijkt triomfantelijk naar Hessel. Zo, had je nog wat, zeggen zijn ogen. Maar Hessel begint spontaan te klappen en de rest doet meteen mee.

'Heb ik nu iedereen gehad?' Meester Leo kijkt de kring rond. 'O, nee. Shanna, jij nog.'

Shanna zit stil met haar schrift op schoot. Ze heeft het niet opengeslagen.

Mees moet opeens aan vanmorgen denken. Shanna zit daar met gebogen hoofd. Hij kan haar gezicht niet zien, omdat haar haren ervoor hangen, maar... ze zit toch niet weer te huilen?

'Shanna?' dringt de meester aan.

Shanna blijft onbeweeglijk zitten en mompelt wat.

'Dat kan ik niet verstaan, Shanna. Nog een keer graag.' Meester Leo klinkt lichtelijk geïrriteerd.

'Ik heb niks!' zegt Shanna nu iets te hard.

Mees draait zijn hoofd snel naar meester Leo.

Die kijkt zoals hij klonk. 'En waarom niet? Iedereen kan toch wel iets opschrijven over...' Opeens valt de meester stil.

Shanna tilt haar hoofd op en kijkt hem wanhopig aan.

Mees heeft nog niet vaak zo'n ongelukkig gezicht gezien.

De meester mept met zijn vlakke hand tegen zijn voorhoofd. 'O Shanna, hoe kon ik het vergeten! Het spijt me.'

De hele klas kijkt met openhangende mond en stomverbaasde ogen van de meester naar Shanna en weer terug.

De meester spreidt zijn armen wijd uit, steekt ze in de lucht en legt dan zijn handen met ineengestrengelde vingers achter zijn hoofd. Zijn nadenkhouding, weet Mees.

Iedereen zwijgt. Dat is heel vreemd, want meestal beginnen ze meteen luidruchtig te tetteren als er iets aan de hand is.

De stilte lijkt heel lang te duren.

Eindelijk kucht de meester. 'Wil je het zelf uitleggen, Shanna, of zal ik het doen?'

'Doet u het maar, meester,' fluistert Shanna.

De meester krult zijn onderlip naar voren, trekt hem langzaam met zijn vinger wat verder omlaag en laat hem dan terugveren. 'Oké, ik zal het proberen. Jullie weten allemaal wel dat er vrijheid van meningsuiting bestaat. Daar hebben we het al vaak over gehad. Zo hebben wij ook vrijheid van godsdienst. Iedereen heeft recht op zijn eigen geloof en dat moet door anderen gerespecteerd worden. Het geloof van Shanna's ouders heeft allerlei regels en één regel is dat je geen verjaardag mag vieren. Dus ook de verjaardag van Sinterklaas niet. Snappen jullie dat?'

Sommige kinderen knikken, andere kijken nadenkend naar Shanna.

Melanie zegt wat Mees denkt. 'Dat is ook zielig.'

Aan de gezichten te zien denken ze dat allemaal.

'Vier je dan ook je eigen verjaardag nooit?' vraagt Mees.

'Maar je hebt vorig jaar wel getrakteerd,' herinnert Frederieke zich. 'Vlak voor de zomervakantie, geloof ik.'

'O ja,' zegt Veerle. 'Toen dachten wij nog dat je in de vakantie jarig was.'

Shanna schudt haar hoofd. 'Dat was zomaar, omdat ik ook wel eens wil trakteren.'

'Wanneer ben je dan eigenlijk jarig?' Veerle kijkt haar nieuwsgierig aan.

'Ach, verjaardagen kunnen me niet veel schelen.' Shanna haalt even haar schouders op. 'Maar sinterklaas lijkt me altijd zo leuk.'

Mees ziet haar ogen vochtig worden en hij moet er zelf van slikken.

'Maar hoe ging dat dan vorig jaar op vijf december?' wil Frederieke weten.

'En alle jaren daarvoor?' vraagt een ander.

'Op de dag van het feest was ik altijd ziek,' zegt Shanna. 'Nou ja, niet echt ziek...'

'O ja, dan was jij er niet,' herinnert Nikita zich. 'Dat vond ik altijd zo'n pech voor je.'

De hele klas is onder de indruk. Shanna heeft dus nog nooit sinterklaas gevierd!

Luuk doorbreekt de stilte. 'Nah, wat een rotgeloof.'

Enkele kinderen schieten in de lach, maar dat komt hun op een boze blik van de meester te staan.

'Dat is misschien jouw mening, Luuk,' zegt hij, 'maar zo toon je geen respect.'

Luuk bijt op zijn lip. 'Sorry, meester.'

'O nee,' zegt de meester. 'Het gaat niet om mij, maar om Shanna.'

'Nah, sorry Shanna.' Het klinkt zacht, maar aan Luuks gezicht te zien meent hij het wel.

Frederieke steekt haar vinger op. 'Maar hoe moet dat nou met de musical?'

'Daar mag ik niet aan meedoen,' antwoordt Shanna.

Mees hoort aan haar stem hoe jammer ze dat vindt. 'Toch wel aan de voorbereidingen?' vraagt hij.

Ze haalt haar schouders op en kijkt naar de meester.

'Tja.' Hij wrijft over zijn kin. 'Meestal gaat het met sinterklaas alleen om een tekening en een knutsel en die kun je wel overslaan, maar nu is het natuurlijk veel meer. Daar moet ik eens rustig over nadenken.'

'Hallo, als ze niet mee hoeft te doen met het opstel, dan,

eh...' Mustafa aarzelt en kijkt de klas rond. 'Mijn ouders geloven dat ik niet mee mag doen met rekenen.'

Het duurt even, maar dan schieten alle kinderen in de lach, ook Shanna.

Zelfs de meester lacht hardop. 'Droom maar fijn, Mustafa,' zegt hij en hij kijkt op zijn horloge. 'Hoogste tijd om naar huis te gaan. En leg meteen je schrift op mijn bureau.'

In de gang drommen de meiden om Shanna heen. Mees loopt langs hen en pakt zijn jas.

'Je hebt toch wel eens een sinterklaasknutsel gemaakt?' hoort hij Julia vragen.

'Soms stiekem,' knikt Shanna. 'Maar die nam ik niet mee naar huis.'

Mees ritst zijn jas dicht en denkt aan het kartonnen pietje dat vorig jaar met Pasen nog in de vensterbank stond. Van haar dus.

's Avonds hangt Mees op het bed van Daniël, terwijl zijn broer huiswerk maakt. Of in elk geval met een opengeslagen wiskundeboek voor zijn neus zit.

Mees bladert door een muziekblad en probeert te bedenken hoe hij het plan van Yasmin zal brengen. 'Toen jij in groep acht zat, deden jullie toen ook een sinterklaasmusical?'

'Uh-huh.'

Dat zal wel 'ja' betekenen. 'Weet je nog hoe die ging? Had jij een rol?'

'Mmnneuh.'

Daniël heeft echt zin in een gesprek, dat merkt Mees wel.

Maar hij houdt vol. 'Vertel er eens wat over?'

Er klinkt een diepe zucht vanachter het bureau.

'Laat ook maar,' zegt Mees. 'Weet je wat Yasmin bedacht heeft?'

Nu draait Daniël zich opeens geïnteresseerd om.

'Dat we misschien wel mee kunnen doen met de band. De meester vindt het een strak plan.'

'Meedoen met sinterklaasliedjes?' Daniëls stem schiet vol ongeloof omhoog. 'Dacht het niet.'

Dacht ik wel, denkt Mees. Nu weet hij nog maar één manier om hem over te halen. 'Jeroen vindt dat je alle soorten muziek moet leren spelen. Goed voor je ontwikkeling!'

Een minachtend lachje is het antwoord. 'Dan doe jij het maar alleen. Jij kunt nog wel wat ontwikkeling gebruiken.'

Mees gooit het tijdschrift naar Daniëls hoofd en stampt de kamer uit.

Net voordat hij de deur dicht wil gooien, roept zijn broer hem nog wat na. 'Wij moeten zelf ook naar school!'

Even aarzelt Mees. Dat is natuurlijk wel een probleem. Maar dan ramt hij toch de deur achter zich dicht.

HOOFDSTUK 5

'Doen wij het toch lekker zonder die twee,' reageert Hessel de volgende ochtend voor schooltijd. Hij en Yasmin hebben net van Mees gehoord hoe Daniël gereageerd heeft.

Mees kijkt zijn vriend twijfelend aan.

'Ja, alleen wij drieën.' Yasmin geeft hem een vrolijk duwtje. 'Kan best.'

Weg zijn de twijfels. Als zij het zegt...

De meester vindt het prima. 'Eén gitaar, een drummer en een zangeres. En de hele school zingt mee. Komt helemaal goed.'

Dan vertellen ze het aan de klas. Supergaaf, is zo ongeveer het commentaar.

Ook Jeroen vindt het fantastisch. Ze vertellen het hem woensdag voor de repetitie. 'Van elk optreden leer je zó veel.' Hij heeft zelfs een boek met sinterklaasliedjes voor hen te leen. Ze mogen het bij hem thuis ophalen. Maar eerst moet er gerepeteerd worden.

Jeroen laat een nieuw nummer horen. Ze vinden het goed klinken en besluiten het in te studeren. Jeroen legt de moeilijke stukjes uit, doet Mees een lastig akkoord voor en helpt Yasmin met de uitspraak. De rest moeten ze deze week thuis oefenen. Ten slotte spelen ze een paar bekende nummers. Ook de boasong, zoals Mees het bij zichzelf noemt. Gelukkig heeft ze het ding nu niet bij zich.

Maar als ze bij het stukje komt dat ze samen met Jurre zingt, loopt ze weer op zo'n... op zo'n... aparte manier naar hem toe. Als een tijger die zijn prooi besluipt.

Yasmin houdt de microfoon tussen haar en Jurre in en met hun voorhoofden tegen elkaar aan zingen ze het refrein.

Dat is toch nergens voor nodig, denkt Mees. Jurre heeft zelf een microfoon voor zijn neus staan, maar nee, ze moeten zo nodig met z'n tweeën in één microfoon zingen. Mees heeft de tekst nooit goed bestudeerd, maar het gaat over Romeo en Julia, zo veel weet hij er wel van. En of het allemaal al niet erg genoeg is, wordt dat stukje nog vier keer herhaald ook! En steeds heeft Jurre zo'n blik in zijn ogen alsof... ja, alsof wat? Alsof hij Yasmin wel op kan vreten?

Bij die gedachte moet Mees verdraaid goed opletten dat hij niet weer in de war raakt met zijn akkoorden. Hij kijkt naar Jeroen om te zien wat hij ervan vindt. Maar Jeroen glimlacht tevreden.

Het huis van Jeroen is voor Hessel en Yasmin een eind om, dus Mees fietst er in z'n eentje heen.

Jeroen is er met de auto veel eerder en hij heeft het boek al opgezocht als Mees aanbelt. 'Veel succes ermee en als jullie hulp nodig hebben, hoor ik het wel.'

Mees bedankt hem en stopt het boek in de hoes van zijn gitaar. Thuis gaat hij meteen naar zijn kamer. Hij bladert wat in het boek en laat zich dan achterover op zijn bed vallen.

In zijn hoofd zeurt de melodie van de boa-song. Op zijn netvlies brandt het beeld van Yasmin en Jurre met alleen die microfoon tussen hun monden in.

'Die Jurre is zó cool,' hoort hij in zijn hoofd de meiden weer. En de stem van Melanie: 'Alle meiden zijn op hem.'

Mees snapt er helemaal niks van. Wat had Melanie ook alweer gezegd? 'Om hoe hij eruitziet en zo'.

Hoe hij eruitziet? Hoe hij eruitziet! Een net-uit-z'n-bed-hoofd en blauwe ogen. Nou, én? Zijn kleren dan? Een spijkerbroek en een shirt zoals Mees zelf er ook wel honderd heeft. Weer ziet hij Jurre bij Yasmin staan en de blik in haar ogen als ze naar hem opkijkt.

Poinggg! Alsof er in zijn hoofd iets knapt. Yasmin kijkt naar hem óp. Jurre is zeker een halve kop groter dan zij. Met van die stoere, brede schouders ook nog! En Mees zelf is wel een hele kop kleiner. Shit! Met schoudertjes van niks! Logisch dat Yasmin hem niet ziet staan. Meiden vallen altijd op jongens die groter zijn! En hij is zo ongeveer de kleinste van de klas.

'Mees, eten!' Zijn moeder staat onder aan de trap te roepen.

Eten! Hij heeft helemaal geen trek. Maar als hij niet naar beneden gaat, denkt ze dat hij ziek is en daar krijgt hij zeker gezeur mee.

'Wat is het?' vraagt hij als hij aanschuift.

Zijn moeder zet een schaal op tafel. 'Boerenkool met worst.'

'Het is nog geeneens winter,' bromt Daniël.

'Bijna wel,' zegt ze onverstoorbaar, terwijl ze de worst in drie stukken verdeelt.

'Moet papa overwerken?' Mees kiest een stuk worst, snijdt er wat af en legt de rest terug in de schaal. 'Eén klein schepje,' roept hij, als zijn moeder stamppot op zijn bord doet.

'Zo weinig? En jij vond boerenkool altijd lekker!' Hoofdschuddend kijkt ze toe hoe Mees een piepklein stukje worst aan zijn vork prikt. 'Hoe moet jij ooit groot worden?'

Mees kauwt bedachtzaam op de worst. Ze heeft gelijk, hij is nooit een grote eter geweest. Zou hij daardoor zo klein zijn? Hij kijkt naar Daniël, die ook niet echt groot is maar wel een enorme berg stamppot naar binnen zit te schuiven. Mees slikt de worst door en neemt een hap boerenkool. Eigenlijk smaakt het wel. En het duurt niet lang of hij schept zijn bord nog eens vol.

'Jouw beurt voor de afwas,' zegt Daniël als ze klaar zijn. 'Ik ga naar Jurre.'

Mees trekt de vaatwasser open. 'Hij is nog niet leeggeruimd,' moppert hij.

Zijn moeder helpt hem een handje en dan is de klus zo gedaan. 'Kopje thee?' vraagt ze. 'Ik neem koffie.'

'Mneuh.' Mees trekt de deur van de koelkast open. Na een grondige inspectie van de inhoud pakt hij de yoghurt en schenkt een schaaltje vol. Hij strooit er een laag cruesli overheen en loopt ermee naar de kamer.

Zijn moeder zit met haar koffie voor de tv. Als hij naast haar gaat zitten, kijkt ze met opgetrokken wenkbrauwen naar het schaaltje, maar ze zegt niets.

In het programma vertellen mensen hoe ze de dag doorgebracht hebben en er zijn grappige filmpjes.

'Hoe was jouw dag?' vraagt zijn moeder als het afgelopen is.

Mees bromt wat. 'Waarom ben ik zo klein?'

'Vond je het flauw?'

'Wat?'

'Wat ik zei: hoe moet jij ooit groot worden. Toen ik het gezegd had, had ik er meteen spijt van.'

'Mwah. Maar waarom...'

'Nou ja, kijk naar je vader. Ook niet echt een boom van een kerel, toch? En ik?'

'Sprinkhaan,' plaagt Mees haar met het woord dat zijn vader altijd tegen haar zegt.

Lachend staat ze op. 'Ik ga boven de was opvouwen.'

Mees zapt langs de zenders en blijft hangen bij een reclame voor een fitnessapparaat. De verkoper belooft een hoop spieren en een figuur dat door iedereen bewonderd wordt. Een figuur, nog mooier dan dat van Jurre.

Hé, denkt Mees, staat er in de tuinkamer niet zo'n ding? Hij loopt via de keuken naar de kamer met een schuifpui naar de tuin. Er staat een schommelbank die in de zomer naar buiten gaat en langs de wanden zijn planken met bloempotten en manden en allerlei tuingereedschap. Hij kijkt eens goed rond.

Yes! Zie je wel, hier zijn ze.

Achter wat tuinstoelen in een hoek staan een paar fitnessapparaten afgedekt met oude gordijnen. Een loopband om een goede conditie te krijgen, maar met zijn conditie is niks mis. Hij trekt nog een gordijn weg: een roeiapparaat. Voor sterke armspieren misschien? En tegen de muur staat zo'n ding waarbij je met je armen twee beugels naar voren moet bewegen. Hij gaat op het bankje zitten. De beugels zitten nogal hoog.

Als ik die kussens van de tuinstoelen nou eens onder mijn billen leg, bedenkt hij.

Zo kan hij er precies bij.

Rustig beweegt hij zijn armen heen en weer. Het is eigenlijk best zwaar. Zwaarder in elk geval dan wanneer je het iemand anders ziet doen.

Hoe lang zou ik dit vol moeten houden, vraagt hij zich af. Een kwartier? Half uur? Pfff, hij is nog niet eens twee minuten bezig en hij is al half kapot.

Roeien is vast veel makkelijker! Het apparaat heeft een kabel waar je aan moet trekken en een stoeltje dat heen en weer kan schuiven. Dat stoeltje loopt lekker licht, maar als Mees het handvat naar zich toe wil trekken, valt dat enorm tegen.

Poe hé, zou je zo'n ding niet in een lichtere stand kunnen zetten? Hij draait hier en daar aan een knop, maar veel verschil maakt het niet. Nou ja, het is eigenlijk ook maar beter zo, denkt hij. Hoe zwaarder het is, hoe eerder je resultaat ziet! En hij roeit ijverig door. Van voor naar achter, van achter naar voor. Zijn benen worden er trouwens ook flink moe van.

Volgende keer neem ik mijn mp3-speler mee, belooft hij zichzelf. Wat een saai gedoe, zeg! Maar het werkt wel. De zweetdruppeltjes rollen over zijn gezicht.

Ik stop ermee, denkt hij. Maar hij hoeft maar even aan Yasmin en Jurre te denken of hup, daar gaat hij weer. 'Nog honderd slagen. En dan nog een poosje op dat andere apparaat.'

Hijgend stapt hij van het roeistoeltje. Zijn benen en armen doen pijn, maar dat hoort er natuurlijk bij. Twijfelend kijkt hij naar het bankje met de tuinkussens. Alles voor Yasmin, álles! En hij zet zijn armen tegen de beugels.

'Eén, en twee, èn drie... èèènnn... vier...' kreunt hij. 'Doorgaan, dóór...gáán... zeven...' Zijn rug kraakt. 'A-a-acht... né...gen...' Zijn bovenarmen ontploffen. 'Tien!'

En nou stopt hij echt. Je kunt het ook te gek maken. Kromgebogen stapt hij van het bankje. Zijn shirt plakt aan zijn lijf. Hij sjokt naar de keuken en pakt een fles cola uit de koelkast. Meteen zet hij hem terug. Geen cola, melk moet hij nemen. Melk is goed voor je botten. Hij drinkt zo uit het pak. Hèèè, lekker koel! Met zijn andere hand veegt hij het zweet van zijn voorhoofd. Hij neemt nog een paar flinke slokken en wil dan nog maar één ding: heel lang onder de douche.

De volgende morgen strompelt hij de trap af.

'Wat is er met jou?' vraagt zijn moeder verbaasd.

Mees laat zich moeizaam op een stoel zakken.

'Ben je ziek? Heb je koorts?' Ze voelt aan zijn voorhoofd.

'Gewoon een beetje spierpijn,' mompelt Mees. 'Het gaat zo wel weer.'

'Het gaat zo wel weer? Je loopt net als opa. Zal ik er iets op smeren?'

'Er iets op smeren? Van dat stinkspul??? Hou eens even op. Ik ga zo naar school.' Hij neemt een hap van zijn boterham.

'Zeg hé, een beetje dimmen, ja? Wat heb je gedaan?'

Mees kauwt langer dan nodig is en spoelt de boel weg met een slok thee. 'Gefitnest,' zegt hij met zijn blik op zijn bord gericht.

De boze bezorgdheid van zijn moeder maakt plaats voor verbazing. 'Ge-wat?'

Mees zucht. 'Met die troep van papa. In de tuinkamer.'

Zijn moeder geeft geen antwoord. Het blijft zo lang stil dat Mees eindelijk voorzichtig even naar haar gezicht kijkt. Ze doet hevig haar best om niet in lachen uit te barsten.

'Nou jaaa! Het is heus niet grappig!' scheldt hij.

En dan lachen ze samen tot ze niet meer kunnen.

'Au au,' klaagt Mees grinnikend. 'Zelfs lachen doet zeer.'

'Ik zal je wel met de auto naar school brengen,' belooft zijn moeder en zachtjes nagiechelend haalt ze hun jassen.

Als Mees op school komt, moeten de kinderen van zijn klas erg lachen. Ze hebben ook allemaal commentaar, de een nog lolliger dan de ander.

'Je lijkt wel een ouwe vent.'

'Je mag de rollator van mijn oma wel lenen. Die loopt soepeler dan jij!'

Mees trekt met moeite een grijns op zijn gezicht.

Hessel wil serieus weten wat er aan de hand is. 'Je bent toch niet ziek?'

En Yasmin is de enige die medelijden heeft. 'Wat is er gebeurd? Je voelt je vast hartstikke beroerd.'

Dat vindt Mees wel heel aardig, maar toch draait hij eromheen: 'Beetje spierpijn. Geen idee. Niks bijzonders.' Hij kan zich al wat soepeler bewegen dan vanmorgen vroeg, maar de pijn is nog lang niet weg.

'Heb je het boek nog opgehaald bij Jeroen?' vraagt Hessel. En als Mees knikt: 'Heb je het al bekeken ook?'

'Het is toch niet te moeilijk?' hoopt Yasmin.

'Valt mee, geloof ik. Maar ik heb het nog niet geprobeerd,

want mán, ik kan mijn gitaar niet eens vasthouden. Ik hoop dat ik de repetitie van zaterdag haal.'

'Ach, wat rot voor je,' zegt Yasmin.

Mees voelt zich meteen een stuk beter. 'Laten we maar naar binnen gaan. Volgens mijn moeder moet ik mijn spieren warm houden.'

Yasmin loopt naar Melanie, Hessel blijft bij Mees. Als Yasmin buiten gehoorsafstand is, fluistert Hessel: 'Misschien wil Yasmin je spieren wel warm houden. Zal ik het vragen?'

'Doe jij effe gewoon, gek!' Mees werpt hem een vernietigende blik toe.

Hessel geeft hem een stomp. 'Grap-juh!'

'O, ha ha ha.' Maar hij is niet blij. 'Als je je bek maar houdt!'

Op vrijdagmiddag deelt meester Leo papieren uit. 'Hierop staan de ideeën die jullie tot nu toe hebben. Lees ze goed door en maak aantekeningen als je er iets over wilt zeggen.'

Tot zijn verbazing ziet Mees dat Shanna het papier doorleest. En dat terwijl ze toch niet mee mag doen. Hij weet nog precies hoe treurig ze vorige week was.

Na een tijdje vraagt de meester of ze in de kring komen.

Nog verbaasder is Mees als Shanna ook haar stoel erbij zet. Hij steekt zijn vinger op. Als de meester naar hem knikt, wijst hij naar Shanna. 'Het is toch niet leuk voor haar als ze erbij moet zitten. Ik bedoel, als ze toch niet mee mag doen...'

Meester Leo legt het uit. 'Ik heb met Shanna's ouders gepraat. Ze komt niet bij het sinterklaasfeest, maar doet wel mee met bepaalde onderdelen van de voorbereiding.'

Niet alleen Mees, maar de hele klas slaakt een zucht van opluchting.

'Fijn voor je,' roept Melanie.

En dan bespreken ze de musical in wording. Om half vier is de grote lijn van het verhaal rond en de liedjes zijn uitgekozen.

'Wanneer zullen we gaan oefenen?' vraagt Mees als ze met z'n drieën bij hun fietsen staan.

'Volgende week na schooltijd?' stelt Yasmin voor.

Dat vinden ze allemaal goed, maar maandag kan Yasmin niet en dinsdag is Hessels kleine zusje jarig en woensdag moeten ze weer met de hele band oefenen.

'We spreken het volgende week wel af,' vindt Mees. 'Ik kan nu toch nog niet zo lang achter elkaar gitaarspelen.'

'Moet iemand je masseren?' probeert Hessel leuk te doen.

'Nee, dat hoeft niét.'

'Nou, tot morgen dan.' Yasmin springt op de fiets.

Hessel volgt haar en Mees gaat alleen de andere kant op.

HOOFDSTUK 6

Langzamerhand gaat het beter met Mees. De opmerkingen van Hessel spoken steeds door zijn hoofd. Zijn spieren warm houden, masseren, hij moet er niet aan denken! Of misschien wel aan denken, maar meer niet! Die maffe Hessel ook. Die fietst elke dag lekker met Yasmin naar school en naar huis. Wie weet wat die twee allemaal bespreken!

De fitnessapparaten heeft hij weer toegedekt met de gordijnen.

Volgens zijn moeder helpen ze toch niet om groter te worden. 'Geduld, Mees. Geduld en veel melk drinken.'

Hij kan haast niet wachten om samen met Hessel en Yasmin de sinterklaasliedjes te oefenen. Zonder Jurre erbij!

Als hij 's maandags op school komt, begint hij meteen over een afspraak. 'Wanneer kunnen jullie nou? Het is nu al november!'

Hessel en Yasmin doen er nogal makkelijk over. 'Dat is nog lang geen december.'

'Maar als het december is, is het te laat,' vindt Mees. Sinterklaas valt dit jaar op zondag en het feest op school is al op de vrijdag ervoor. 'En je moet ook nog surprises maken en gedichten!'

'Maar nu hebben we nog bergen huiswerk,' zegt Hessel.

Yasmin valt hem bij. 'Wat dacht je van die aardrijkskunderepetitie vrijdag? Ik háát aardrijkskunde. Maar van mijn opa mag ik alleen bij de band blijven als ik voldoendes haal.'

Uiteindelijk spreken ze af om zaterdagochtend te oefenen bij Hessel thuis.

'Dan kan ik daarna met opa naar mijn moeder en dáárna weer reperteren met de hele band,' zegt Yasmin.

Mees is maar half tevreden. Hij had liever eerder willen oefenen. Maar als het risico is dat Yasmin uit de band moet... Alles liever dan dat.

Het lijkt wel of de week maar niet om wil gaan. Op dinsdag voelt het al bijna honderd jaar geleden dat ze de afspraak gemaakt hebben en op donderdag minstens drie eeuwen. Mees probeert zich te verdiepen in de industrie van China en de landbouwproducten en de idiote namen van de belangrijkste steden. Je moet ze nog goed kunnen spellen ook van de meester. Het is niet minder dan een ramp en hij is het helemaal met Yasmin eens. Ook hij haat aardrijkskunde. Later wil Mees van de muziek zijn beroep maken en wat heb je dan aan aardrijkskunde? Hij vraagt het zich hardop af als ze donderdagmiddag in het fietsenhok staan.

'Misschien gaan we op wereldtournee,' fantaseert Yasmin. 'Dan is het wel handig als je weet waar alles ligt.'

'Casablanca, Marrakesh, Timboektoe, stel je voor dat je daar allemaal naartoe gaat,' droomt Hessel.

'Dat is Afrika, man! Je hebt toch wel de goeie repetitie geleerd?' vraagt Mees.

'Hè? Hoezo de goeie?' Hessel kijkt hem geschokt aan. 'Shit,' roept hij, als ze hem vertellen over China. 'Moet ik helemaal opnieuw beginnen. Ik ben weg.'

'Zal ik je zaterdagochtend ophalen?' stelt Mees aan Yasmin voor. 'Gaan we samen naar Hessel.'

Ze staat al met haar voet op de trapper om achter Hessel aan te gaan. 'O, goed. Doei!'

'Tien uur,' roept hij haar na.

Ze steekt haar hand op.

Nog twee nachten en één dag, denkt Mees.

Mees' hoofd staat er helemaal niet naar, maar toch gaat de repetitie niet slecht.

Hessel maakt zich grote zorgen over zijn cijfer. 'Pfff, waardeloos! Het is maar goed dat mijn vader niet vindt dat ik uit de band moet als ik onvoldoendes haal.'

Ze eten hun boterhammen bij de overblijf. Mees hoeft daar eigenlijk niet heen en hij heeft er lang om moeten zeuren.

'Dat is leuker voor Hessel,' had hij bedacht. Het is natuurlijk vooral leuk voor hemzelf, want Yasmin blijft ook over. Maar dat hoefde zijn moeder niet te weten. Eindelijk vond ze het goed en nu mag hij elke vrijdag overblijven.

's Middags werkt de klas weer aan de musical.

'We gaan dialogen schrijven,' zegt de meester.

Luuk steekt zijn vinger op. 'We doen toch een Powerpoint-presentatie? Wat moeten we dan met dia's?'

Hij is niet de enige die het niet snapt.

'Een dialoog is een gesprek. Je schrijft precies op wat de verschillende personages zeggen,' legt de meester uit.

'Nah, zeg dat dan,' mompelt Luuk.

Ze mogen in groepjes werken. Mees wenkt Yasmin om bij hem en Hessel te komen, maar ze schuift al bij Melanie en Julia aan. Dan maar met Jaap en Ruben. Even later zijn ze druk aan het werk.

Het is vrijdagavond. Mees zit op zijn kamer en oefent de akkoorden van *Zie ginds komt de stoomboot*. Zijn mobieltje gaat.

Het is Hessel. 'We hebben een probleem. Mijn vader belde. Hij heeft pech met de vrachtwagen en zit nog in het zuiden van Duitsland. We dachten dat hij vanavond thuis zou komen, maar het wordt nu op z'n vroegst morgenmiddag.'

'Ja, en? Ik zie het probleem niet.'

Hessel zucht. 'Mijn moeder heeft weer last van haar rug. Ze moet zo veel mogelijk rust houden en dan moet ik natuurlijk op mijn zusjes passen. Dat oefenen morgen wordt dus niks.'

'Ah, nee hè. Balen!' Mees denkt even na. 'Weet Yasmin het al?'

'Ik bel haar zo.'

'Misschien kunnen we zondag?'

'Misschien,' zegt Hessel. 'We hebben nog tijd genoeg, toch? Ik spreek pas iets af als mijn vader thuis is.'

'Oké. Hoi!'

'Hoi!'

Mees laat zich languit op zijn bed vallen. Wat een shitzooi! Natuurlijk hebben ze nog tijd genoeg, maar hij had er juist zo'n zin in. Weer gaat zijn mobiel. Hij kijkt in het schermpje en zit meteen rechtop. Yasmin! Yasmin belt hem! Van pure opwinding staart hij naar haar naam en vergeet helemaal het knopje in te drukken. Pas als het ding ophoudt met pingelen, komt hij weer bij. Stomstomstom! Terugbellen dan maar.

'Ik probeerde je net te bellen,' zegt Yasmin verrast.

'Ja sorry, ik hoorde hem te laat,' jokt Mees. 'Heb je het al gehoord van Hessel?'

'Daarom belde ik juist. Jammer, hè?'

'Echt wel.' Mees probeert een oplossing te verzinnen.

Yasmin heeft al een plannetje klaar. 'Zullen we samen oefenen? Het gaat erom op welke toonhoogte jij die liedjes speelt en daar hebben we Hessel niet bij nodig.'

Mees gaat helemaal uit zijn dak. Samen oefenen. Alleen met z'n tweeën! Hij valt achterover en probeert een gejuich te onderdrukken. Zijn benen trappelen in de lucht en hij bijt op zijn hand om Yasmin niet te laten merken wat een fantastisch plan hij het vindt.

'Hallo, ben je er nog? Vind je het wat? Anders hoeft het niet, hoor.'

'Eh... ja, nee, eh... geweldig, hartstikke goed plan,' weet hij uit te brengen.

'Zal ik dan maar naar jou komen? Anders moet jij je gitaar meeslepen en ik... Nou ja, mijn stem heb ik toch bij me.'

Mees kucht, maar zijn stem piept toch een beetje. 'Ja, ja, oké, eh... Hoe laat kom je dan?'

'Een uur of tien hadden we toch afgesproken?'

'O ja, o ja, nou, eh... tot morgen dan.' Hij verbreekt de verbinding, springt op en steekt zijn armen in de lucht.

'Ieieieie...haaaaa!!!'

Na een nacht waarin hij van opwinding bijna geen oog dichtdoet, zit hij voor half negen al in de keuken. Dat vindt zijn moeder een klein wonder, maar als Daniël meteen na hem ook beneden komt, weet ze helemaal niet meer wat ze meemaakt.

'Jongens, het is zaterdag! Wordt er niet meer uitgeslapen?'

'Ik ga straks met een groepje naar de stad,' zegt Daniël.

Mama trekt haar wenkbrauwen op. 'Een groepje?'

'Jurre en ik en Bart, enne...' Daniël doet wat vaag.

'En wat gaan jullie doen in de stad?'

'Naar een tropisch zwembad. Ideetje van Bart. Gisteravond afgesproken.' Daniël ziet Mees' blik en begrijpt het meteen. 'Ja, we zijn op tijd terug voor de band.'

Mama glimlacht, maar is nog niet tevreden. 'Dus alleen Bart, Jurre en jij?'

'Nou, eh... kweenie precies, nog een paar,' bromt hij. En bijna onhoorbaar: 'Een stel meiden.'

Mees spitst zijn oren. 'Zooo, meiden?' Hij trekt een nou-nou-gezicht.

Daniël bijt meteen terug. 'Ja, meiden,' zegt hij met veel nadruk. 'Daar ben jij nog te klein voor.'

'Moet je niet te hard zeggen,' schept Mees op. 'Straks komt Yasmin hier.'

'Ja hoor, hij wel! Yasmin zeker. Dan had ze natuurlijk niks beters te doen!'

'En toch is het zo! Om te oefenen voor de musical.'

Daniël schiet in de lach. 'Ooooo, voor de musical. Nee, ik

dacht even dat jij dacht dat ze voor jou kwam. Ze valt niet op ukkies, hoor!'

Mees' vuist schiet uit in de richting van de neus van zijn broer. Daniël kan nog net op tijd wegduiken. De borden rammelen op de tafel en er valt een glas thee om.

'Jongens!' Hun moeder zet snel het glas recht. 'Mees, laat je toch niet altijd zo opjutten! En Daniël, jij bent de oudste, wees dan ook de wijste!' Ze pakt een doek en maakt de tafel schoon.

Daniël eet grinnikend zijn boterham op en Mees stampt boos de trap op.

Dat stomme jong! Ha, hij is natuurlijk jaloers! Dat had Mees moeten zeggen, maar zoiets bedenkt hij altijd later pas. Hij loopt een stukje omlaag en roept het keihard van halverwege de trap: 'Je bent gewoon jaloers!' Dan rent hij naar de badkamer en knikt naar zijn spiegelbeeld.

Daniël kan zeggen wat hij wil, maar Yasmin komt toevallig wel naar hem toe.

Mees zet de douche aan. Hij wil zijn douchegel pakken, maar dan valt zijn oog op de tube van zijn vader. Even aarzelt hij. Die van papa ruikt veel stoerder. Hij spuit een beetje op de spons, snuift de geur op en knijpt nog eens stevig in de tube. Terwijl hij het schuim over zijn lijf smeert, denkt hij aan Daniël. Met meiden naar een tropisch zwembad. Gaaf! Maar alleen samen met Yasmin muziek maken is nog veel gaver!

Hij droogt zich af en loopt met een baddoek om zich heen geknoopt naar zijn kamer. Daar gaat hij voor zijn klerenkast staan. Zijn nieuwe spijkerbroek, dat is niet zo moeilijk, maar een shirt kiezen is lastiger. Eindelijk pakt hij een wit shirt van de plank en zijn rood-grijs gestreepte trui.

Nu zijn haar nog. Als hij er woest met zijn vingers doorheen wrijft en er verder niks aan doet, blijft het aardig zitten, heeft hij laatst ontdekt.

De spiegel vindt dat hij nu wel klaar is. Yasmin kan komen!

Het is kwart voor tien. Hij schuift zijn bureaustoel voor het raam. Zo kan hij precies de straat af kijken. De auto van de postbode rijdt langzaam voorbij. De buurman laat zijn hond uit. Daniël fietst het tuinpad af, zijn rugzak met zwemspullen over een schouder.

Twaalf voor tien. Zou Yasmin het net zo bijzonder vinden als hij? Dan komt ze vast wel vroeger. Een uur of tien, dat kan ook wel tien voor tien betekenen. Ze kan dus elk moment de straat in komen fietsen.

Tien voor tien. Dat stilzitten, daar wordt hij helemaal gek van. Hij loopt een rondje door zijn kamer, verlegt wat spullen op zijn bureau en gaat voor het raam staan.

Voetstappen op de trap!

Van schrik zuigt hij zijn adem naar binnen. Daar zal ze zijn! Gek, hij heeft de bel niet eens gehoord.

'Mee-hees!'

Pfff, hij laat zijn adem puffend ontsnappen. Zijn moeder! De deur gaat open.

'Mees, ik ga boodschappen doen. Hoe laat zou Yasmin komen?'

'Een uur of tien.'

'Dan moet je zelf op de bel letten, want papa is er ook niet.'

Dat weet Mees. Zijn vader is de hele dag naar een beurs van auto-onderdelen.

'Geef je haar straks wat lekkers?' vraagt zijn moeder plagerig.

Mees kijkt haar met half toegeknepen ogen en een strakke mond aan. Hij voelt zijn wangen gloeien. 'Mám!'

Ze trekt een onschuldig gezicht. 'Een glaasje sap, of zo? Wat dacht jij dan?'

Mees draait met zijn ogen. 'Ga nou maar.'

Zijn moeder doet lachend de deur dicht en Mees gaat op de stoel bij het raam zitten. Even later ziet hij haar met de auto het pad af rijden.

Zes voor tien. Als Yasmin straks komt, rijdt ze het pad op en zet haar fiets tegen de heg. Of tegen de muur. Dat kan hij hier vandaan niet zien. Ze loopt naar de deur en belt aan. Dan doet hij open en zegt... Wat zeg je dan?

'Hallo, ben je daar?' Stom, ze staat daar toch!

'Fijn dat je er bent.' Jak, geslijm.

'Kon je het vinden?' Dom, dom, dom! Als ze het niet kon vinden, kon ze ook niet aanbellen.

'Ik dacht dat je nooit zou komen.' Belachelijk. Ze heeft het toch beloofd?

Drie voor tien. In zijn buik begint het te kriebelen. Hij pakt zijn gitaar en gaat snel weer op de stoel zitten. Uit zijn hoofd pingelt hij *Zie ginds*. 'Zie ginds komt Yasmin aan,' zingt hij zachtjes, 'ze komt op de fiets.'

Maar de straat blijft leeg.

'Ze moet nu haast komen, maar ik zie nog niets.'

Een lied uit het leven gegrepen, hoorde hij eens iemand op tv zeggen. Dat vond hij zo'n mooie zin. Hij speelt het opnieuw.

Eén minuut voor tien. Stel je voor dat hij de bel niet hoort, bedenkt hij opeens. Hij legt zijn gitaar op zijn bed en rent de trap af. Vanuit de woonkamer kan hij niet zo ver de straat in kijken, maar hier hoort hij in elk geval de bel.

De klok slaat tien keer. Hij gaat naar de gang, doet met kloppend hart de deur open, maar de stoep is leeg. Hij loopt het tuinpad af en kijkt naar rechts de straat in. Voor de zekerheid kijkt hij ook naar links, al weet hij best dat ze van rechts zal komen. Opeens bedenkt hij dat ze nu, precies op dit moment, misschien wel belt om te zeggen dat het wat later wordt. Hij rent naar binnen en meteen door naar boven om zijn mobiel te checken. Niks gemist.

Inmiddels is het vijf over tien. Nou ja, een uur of tien, dat kan ook wel tien over tien betekenen.

Maar om tien over tien is Yasmin er nog niet. Mees loopt van boven naar beneden naar buiten en weer terug, en ziet de klok elke minuut verspringen. Hij heeft zijn mobieltje in zijn hand, maar pingelen doet het niet.

Om twintig over tien besluit hij haar te bellen. Het zweet staat in zijn handen en van de zenuwen drukt hij op de verkeerde knopjes. Eindelijk heeft hij het voor elkaar en nu moet zij haar mobiel horen overgaan. Hij wacht een halve minuut en dan nog even, maar ze neemt niet op. Wat gek! Hij heeft het toch wel goed begrepen? Ze heeft toch wel echt gezegd dat zij naar hem zou komen? Of moest hij naar haar? Hij belt haar nog een keer.

Weer niks. De kriebel in zijn buik wordt nu een misselijk gevoel in zijn maag.

Het is al bijna half elf. Nog even en dan gaat hij haar opa bellen. Mees zoekt het telefoonboek en bladert naar Oostsluisjesdijk. Nu onder de T van Tazelaar, P, S, T, eh... ja, daar staat het. Hij krabbelt het nummer op zijn hand en kijkt weer op de klok. Half elf geweest.

Eerst probeert hij nog een keer de mobiel van Yasmin en dan draait hij het nummer van haar opa en oma. Een antwoordapparaat! Hij vraagt of Yasmin hem wil bellen en hangt op.

Dan flitst er een akelige gedachte door zijn hoofd. Er kan wel wat gebeurd zijn onderweg! Een ongeluk of zo. Hij moet haar gaan zoeken!

Mees heeft het nog niet bedacht of hij rent al door de keuken naar buiten en spuit weg op zijn fiets. Met een bloedvaart trapt hij naar het park, remt piepend nog net voor een stoplicht, rijdt in het park bijna een man met een rood petje en een hengel ondersteboven, racet langs de haven, nergens een spoor van Yasmin, sjeest over de dijk en staat uiteindelijk hijgend voor haar huis.

Hij belt aan. Er wordt niet opengedaan. Hij belt nog eens en nog eens. Dan loopt hij met kloppend hart om het huis heen en voelt aan de achterdeur. Op slot. Hij gluurt door de ramen, maar het huis is leeg.

Mees voelt zich net zo leeg. Hij stapt als een soort robot weer op zijn fiets. Traag rijdt hij terug over de dijk.

Bij het busstation ziet hij de bus naar de stad vertrekken; de bus waarmee Daniël een uurtje eerder naar het zwembad is gegaan. Hij heeft vast meer lol dan Mees nu. Met Jurre en Bart en...

Bart! Dat is de broer van Melanie!

Maar dan... Zou... Als... Mees raakt helemaal in de war. Hij denkt maar één ding: Melanie bellen.

Een paar minuten later is hij thuis en toetst haar nummer in.

Haar moeder neemt de telefoon op. 'Melanie is er niet.'

'O.'

'Ze is naar het zwembad in de stad. Luuk is ook mee en Bart en... Jouw broer is er toch ook bij? Had jij geen zin?'

'Eh... nee, eh... ik had wat anders.'

'Zal ik vragen of ze je terugbelt?'

'Hoeft niet, hoor.' Mees hangt op. Als verdoofd ligt hij op bed. Hij herinnert zich de woorden van Daniël: 'Dan had ze zeker niks beters te doen.' En hij snapt precies hoe het gegaan is. Melanie heeft gevraagd of Yasmin mee wilde en erbij verteld dat Jurre ook meeging. Hij hoort in gedachten Daniëls stem: 'Ze valt niet op ukkies.' En toen is Yasmin hun afspraak natuurlijk helemaal vergeten. Hij draait zich op zijn buik en verbergt zijn gezicht in zijn armen.

Mees weet niet hoe lang hij daar al zo ligt, als zijn moeder binnenkomt. 'Is Yasmin alweer weg? Heb je...' Ze zwijgt opeens.

Mees voelt haar hand op zijn schouder.

'Wat is er?' En als hij haar hand afschudt, zegt ze: 'Wil je erover praten?'

'Nee.'

'Oké.' Het duurt even voordat ze verdergaat. 'Als je nog van gedachten verandert, ik ben beneden. Ja?'

Mees beweegt zich niet. De deur van zijn kamer gaat zachtjes dicht.

Later die middag hoort hij Daniël thuiskomen. Mees zit al een tijdje achter zijn computer. Hij is normaal niet zo'n gamer, maar nu leidt het lekker af. Straks is het tijd om naar de repetitie van de band te gaan. Zin heeft hij er niet in, maar wegblijven wil hij niet. Hij gaat zich helemaal concentreren op zijn gitaar en op de muziek, neemt hij zich voor. En die... die stomme Jurre... en die nog stommere... dat stomme stel dus, die kunnen helemaal in de poep zakken. Hij gaat niks tegen ze zeggen en hij kijkt niet eens naar ze.

Maar al zijn voornemens blijken voor niets. Ze is er niet! Jurre wel, Hessel en Daniël ook, maar Yasmin niet.

'Er was ook niemand bij haar thuis,' zegt Hessel.

'Raar, hoor,' vindt Jurre. 'Niks voor haar.'

Mees kijkt hem achterdochtig aan. Meent hij dat nou? Het gezicht van Daniël staat op ik-weet-van-niks.

Ze besluiten om toch maar wat te spelen. Maar zonder Yasmin vinden ze er allemaal geen bal aan.

Hoofdstuk 7

Zondagochtend, negen uur. Mees ligt half wakker in bed. Zijn gitaar staat in een hoek en het boek met sintliedjes ligt ernaast op de grond.

Stomme liedjes, denkt Mees. Stomme musical. Stomme Yas...

Het is gek, maar dat kan hij niet denken. Er moet een verklaring te vinden zijn waarom Yasmin niet is komen opdagen. Inmiddels weet hij dat ze niet mee was naar het zwembad. Melanie heeft hem gisteravond gebeld en zij vertelde wat er gebeurd was. 'Zaterdag zei Bart dat hij naar het tropisch zwembad ging met vrienden. Nou, toen wilden Luuk en ik ook. Dat vond Bart natuurlijk niks, maar mijn moeder zei dat hij alleen maar hoefde te zorgen dat wij met dezelfde bus gingen. In het zwembad mochten we niet bij hem en zijn vrienden blijven hangen. Toen heb ik Julia gebeld en Alex en nog een heel stel, maar bij Yasmin kreeg ik geen gehoor. Het was hartstikke gaaf!'

Yasmin was dus niet met Jurre mee.

Misschien had hij haar gisteravond zelf moeten bellen, maar daar had hij helemaal geen zin meer in. Zíj was weggebleven en hij had er genoeg aan gedaan om haar te vinden. Gapend draait Mees zich om.

Zijn mobieltje pingelt.

Hij grabbelt met zijn ogen dicht op de vloer voor zijn bed tot hij het ding te pakken heeft. 'Hoi,' kreunt hij zonder eerst op het schermpje te kijken.

'Hoi, met Yasmin.'

Yasmin? Yasmin! Mees spert zijn ogen wagenwijd open en zijn hart gaat als een gek tekeer.

'Sorry, sorry, sorry dat ik er gisteren niet was,' zegt ze. 'Ben je erg kwaad op me?'

'Eh... kwaad, eh... nou ja... nee, eh...' Mees is zo blij dat hij haar stem hoort! Al was hij kwaad geweest, dan nu toch zeker niet meer.

'Je raadt nooit wat er gebeurd is. Bo heeft gebeld!'

'Bo?'

'Ja, Bo! Mijn zus, weet je wel?'

Haar grote zus, die verdwenen was. Mees weet het weer.

'Vrijdagavond laat belde ze,' ratelt Yasmin door. 'Ik sliep al. En toen opa het zaterdag vertelde, was ik zo blij, dat ik helemaal vergeten was dat wij afgesproken hadden.'

Dat kan Mees zich voorstellen. Hij weet hoe verdrietig ze erom was en hoe ze altijd bleef hopen dat Bo ooit weer zou komen opdagen. 'En toen?' vraagt hij. 'Je was 's middags ook niet bij de band.'

'Ze belde uit een blijf-van-mijn-lijfhuis ergens ver weg. We hebben haar opgehaald en nu komt ze ook bij opa en oma wonen. Maar er moest van alles geregeld worden en we zijn nog bij mijn moeder geweest en toen, nou ja, toen...'

'Ik snap het wel,' zegt Mees.

'Echt? O, gelukkig! Maarre... zullen we dan vanmiddag...

Of kun je dan niet?'

'Vanmiddag?' Het dringt niet meteen goed door, maar als het zover is, weet hij niet hoe snel hij 'Ja' moet zeggen.

'Ben ik om twee uur bij je, oké?' Ze hangt op.

'Doei,' zegt Mees zachtjes. Hij gaat weer liggen en een trillerige zucht ontsnapt aan zijn longen.

Het wordt een fantastische zondag.

Yasmin vindt zijn kamer mooi en zijn trui gaaf. Ze bekijken de foto's van hun optreden op school en wiiën een poosje. Het lijkt alsof ze zelf gitaar spelen. Yasmin kan er bijna geen genoeg van krijgen. En natuurlijk studeren ze de liedjes in. Met haar prachtige stem weet ze zelfs van *Sinterklaas kapoentje* nog een geweldige song te maken.

'Klinkt cool,' zegt Mees vol bewondering.

'Omdat jij er zo mooi gitaar bij speelt,' vindt Yasmin.

En van de blik in haar ogen als ze dat zegt, heeft Mees uren later nog vlinders in zijn buik.

Als ze samen beneden komen om iets te drinken, ziet Mees duidelijk een jaloerse trek op Daniëls gezicht verschijnen. Zie je wel, denkt hij en hij voelt zich zo trots als een aap met zeven staarten.

Sinds Bo terug is, lijkt het wel alsof er binnen in Yasmin een zonnetje schijnt. En iedereen mag zich erin koesteren. Niet alleen Mees, de hele klas voelt het. Ook Hessel. Dat is dan wel weer jammer, vindt Mees, maar vooruit. Hij is zo gelukkig, dat hij daar niet vervelend over wil doen.

In de klas beginnen ze aan het decor voor de musical.

'We moeten groepen maken,' zegt de meester. 'Een toneelgroep en een decorgroep, die dan weer verdeeld wordt in een knutsel- en een schildergroep. Wie wil er graag een rol op het toneel?'

Veel kinderen steken hun vinger op. Mees niet natuurlijk, en Hessel en Yasmin ook niet. Zij hebben al een belangrijke taak.

Na een hoop geklets en gedoe weten alle kinderen waar ze bij horen. De leden van de band zullen meewerken in de decorgroep. Zij gaan naar het handenarbeidlokaal om een plan te maken, terwijl de meester in de klas blijft bij de toneelspelers.

'Ik kom straks bij jullie kijken hoe het gaat,' zegt hij.

Alex loopt meteen naar de hoek waar het hout staat en begint eraan te sjorren. 'Hier kunnen we een huis van maken!' Met een hoop kabaal vallen er een paar planken om.

Nee hè, Alex weer, denkt Mees.

'Au, mijn been!' Alex trekt zijn broekspijp omhoog en kijkt kreunend naar een piepklein schaafplekje op zijn been.

'Aansteller,' lacht Jaap. 'Je moet ook samenwerken.'

'En eerst een goed plan maken,' zegt Mees. 'Wie heeft er een idee?'

Ze gaan om een werkbank zitten en kijken elkaar aan. Alleen Alex kijkt nog steeds naar zijn scheenbeen.

Als niemand iets zegt, begint Yasmin te grinniken. 'Dat schiet lekker op zo.'

Er klinkt wat gemompel, er worden schouders opgehaald en iemand zegt dat ze op de meester moeten wachten. Maar dat vindt de rest kinderachtig.

Shanna gaat staan. 'Een boom en een open haard.' Ze gebaart met haar armen van links naar rechts alsof ze het helemaal voor zich ziet. 'Hier is buiten en daar is binnen.'

De anderen kijken haar wazig aan.

Uit de ladekast pakt Shanna een groot vel papier en met een potlood schetst ze razendsnel hoe het toneel eruit zou kunnen zien.

De rest volgt ademloos haar bewegingen.

'Wow,' zucht Jaap.

'Helemaal goed,' vindt Mees.

Ze knikken allemaal en Alex loopt alweer naar de houthoek.

'Wacht nou even,' houdt Hessel hem tegen. 'We moeten afspreken wie wat doet en iemand moet de leiding hebben. Anders wordt het een zootje.'

Mees is het met hem eens. 'Shanna! Ik vind dat Shanna de leiding moet hebben. Zij heeft het plan bedacht en ze kan het mooiste schilderen van iedereen.'

Shanna krijgt een kleur als vuur en kijkt hem met haar blauwe ogen aan op zo'n manier dat hij er zelf ook van moet blozen.

Als de anderen het maar niet zien, hoopt Mees terwijl hij zijn knieën bestudeert.

Gelukkig komt de meester net binnen, zodat alle gezichten zijn kant op draaien. En even later zijn ze druk aan het werk.

Op dinsdag oefenen Mees en Yasmin met Hessel in de drumschuur.

Na afloop fietst Mees met Yasmin mee naar haar huis. Het is

een te kort stukje, maar Mees vindt elke seconde een feest.

Op woensdag hebben ze repetitie met de hele band. Yasmin komt altijd samen met Hessel, maar nu is er nog iemand bij hen. Een meisje. Of nee, een vrouw, denkt Mees. Een jonge vrouw met touwkleurig haar en een mager gezicht.

'Dit is Bo,' zegt Yasmin.

'Hoi, Bo,' bromt Daniël en Jurre steekt zijn hand op.

Mees kijkt stomverbaasd van Bo naar Yasmin. Dat zussen zo verschillend kunnen zijn!

'Ze wilde de band zo graag een keer horen,' vertelt Yasmin. 'Jullie vinden het wel goed, toch?'

De jongens vinden het best.

Yasmin pakt haar boa en de hoed met de motorbril uit een plastic tas. 'Die heb ik van haar gekregen, voordat ze...' Vragend kijkt ze naar Bo, die bijna onmerkbaar haar hoofd schudt. 'Voordat ik bij de band kwam,' maakt Yasmin haar zin af.

Jeroen komt haastig binnen. 'Sorry, file.'

De jongens hangen hun gitaren om en Hessel kruipt achter het drumstel. Yasmin zet de hoed op haar krullen en dan gaan ze los. Alle nummers die ze kennen, komen voorbij en Yasmin voert een show op zoals de jongens haar zelden hebben zien doen.

Mees vindt haar vet cool, totdat ze het lied spelen waarbij ze de boa-act opvoert. Hij had er de laatste tijd bijna niet meer aan gedacht, en hij *wíl* het ook helemaal niet zien, maar zijn ogen gaan hun eigen gang. En hij wordt zo kwaad van wat hij ziet! Het bloed suist in zijn oren en het zweet breekt hem uit.

De muziek klinkt vanuit de verte, terwijl Yasmin en Jurre in slow motion naar elkaar toe bewegen. Hun hoofden raken elkaar, ze kijken diep in elkaars ogen en dan gooit Mees zijn gitaar af en rent weg.

Hessel vindt hem terug in de wc. 'Mees, wat doe je nou, gek?'

Mees zit op zijn knieën voor de wc-pot. Hij tilt zijn hoofd op en kijkt achterom.

Zijn vriend schrikt. 'Je ziet lijkwit, man! Heb je gekotst?'

Kreunend komt Mees overeind en trekt de wc door. Bij de wastafel gooit hij een paar handen koud water in zijn gezicht. Hij laat een enorme boer en spoelt zijn mond.

Samen lopen ze terug naar de oefenruimte, waar Mees op een stoel zakt. Yasmin komt naast hem zitten en wrijft zonder iets te zeggen zachtjes over zijn rug.

'Zeker iets verkeerds gegeten,' veronderstelt Jeroen.

Daniël belt zijn moeder en vraagt of ze Mees op komt halen.

Als Mees eindelijk thuis op de bank ligt en alles nog eens overdenkt, komen de beelden die hij het laatst zag voordat hij wegrende, weer terug. Even voelt hij dezelfde kramp in zijn maag. Die stomme Jurre ook, denkt hij nijdig. En Yasmin... Als hij nu eens tegen haar zegt dat hij daar misselijk van werd? Dan is dat gedonder met die boa meteen afgelopen. Even speelt hij met de gedachte. Dan schudt hij zijn hoofd. Ze zal hem vast uitlachen.

Zijn moeder brengt hem een glas thee en een biscuitje. 'Gaat het een beetje?' vraagt ze voor de honderdste keer.

Mees drinkt het glas snel leeg. 'Eén biscuitje maar? Ik heb

honger. Wat eten we?'

'Nou jaaa,' lacht zijn moeder. 'Nasi met saté. Zal ik een bordje hier brengen?'

Dat vindt Mees enorm kinderachtig, maar hij ziet er ook een voordeeltje aan. 'Kan ik meteen tv-kijken!'

's Avonds komt Hessel. 'Hoe is het nou?'

'Goed, joh.' Mees zit op zijn kamer de dicteewoorden voor vrijdag te leren.

'Ga je morgen naar school?'

Mees knikt. 'Moet van mijn moeder.'

'Lullig voor je,' vindt Hessel. 'Kunnen we na schooltijd wel weer oefenen voor de musical.'

Ze kletsen nog wat over het decorontwerp van Shanna en over de band en de zus van Yasmin, en dan stelt Mees aan zijn vriend de vraag die hem al een tijdje bezighoudt. 'Denk jij dat Jurre op Yasmin is?'

Hessels gezicht is een groot vraagteken.

'Of zij op hem?' gaat Mees door. 'Jij fietst vaak met haar naar school. Heeft ze het wel eens over hem?'

Hessel haalt zijn schouders op. 'Zou kunnen. Meisjes vallen meestal op oudere jongens.'

'Echt?' Mees kijkt hem verbaasd aan. 'Niet gewoon op jongens van hun eigen leeftijd?'

'Mijn vader is ook ouder dan mijn moeder.'

Dat is bij zijn eigen ouders ook zo, bedenkt Mees.

Hessel weet nog meer. 'Ze willen ook altijd jongens die groter zijn.'

'Stom! Dan kunnen wij het wel schudden.'

'Jij ja,' plaagt Hessel. 'Jij komt nog niet tot mijn kin.'

'Ha ha ha,' zegt Mees.

'Misschien valt iemand uit groep zeven op jou,' troost Hessel. 'Of uit zes.'

Mees snuift. 'Doe normaal! Ik hoef niemand uit groep zeven of zes.'

'Nee, jij wilt Yasmin,' begrijpt Hessel. Het klinkt niet plagerig en hij lijkt het niet gek te vinden.

Ontkennen hoeft dus niet meer. Ze zwijgen een poosje.

'Waar praten jullie eigenlijk over als je naar school fietst?' wil Mees weten.

'Nergens over,' zegt Hessel.

'Joh, schiet op, dat hele eind? En dan zeggen jullie niks tegen elkaar?'

'Dat wel, maarre... gewoon over school. Of de band. Niks bijzonders.'

Hessel liegt niet, hoort Mees. Hij voelt zich een beetje teleurgesteld, maar weet niet wat hij dan wel had willen horen.

Hessel stapt op en Mees verdiept zich weer in het dictee.

Die vrijdagmiddag, vlak voordat de school uitgaat, steekt Melanie haar vinger op. 'Meester, morgen komt Sinterklaas aan en...'

'Morgen al?' valt Luuk haar in de rede. 'Dan moeten we foto's maken voor de musical.'

Melanie kijkt hem hoofdschuddend aan. 'Niet hier! Ergens in Nederland, in Harlingen of Almere of zo. Daar gaat het ook helemaal niet om.' Ze draait zich weer naar meester Leo.

'Wanneer gaan we lootjes trekken, meester?'

'O ja, lootjes trekken, gaaf!' zegt iemand.

En opeens roepen ze allemaal door elkaar.

'Voor een surprise! Een namaakdrol.'

'Getver, alsjeblieft geen namaakdrollen meer!'

'Moet je ook een gedicht?'

'Vorig jaar had ik jou, weet je nog?'

Meester Leo wacht tot het grootste kabaal wat geluwd is. 'Volgende week vrijdag,' zegt hij. 'Dan heb je precies twee weken de tijd om een surprise en een gedicht te maken. Maar je kunt wel alvast nadenken over een verlanglijstje.'

Mees weet het nog van vorig jaar. Op het lootje met je eigen naam moet je ook altijd drie dingen opschrijven die je graag wilt hebben. Hij steekt zijn vinger op. 'Hoe duur mag het zijn, meester?'

'Vijf euro, is dat een aardig bedrag? Daar kun je wel wat leuks voor kopen, toch?'

Een paar andere kinderen vragen ook nog wat en dan stuurt de meester ze naar huis.

Stripboek, snoep, stiften, schrijft Mees op een blaadje.

Wat moet je anders vragen? Hij leest het nog eens over en grinnikt zacht. Alles met een s. De s van Sinterklaas. En de s-klank van chocoladeletters. Zijn hele naam in chocoladeletters: Mees Maarten Koopmans, dat lijkt hem gaaf. Maar dat haal je niet met het bedrag dat ze uit mogen geven.

Hij gooit de balpen op zijn bureau en pakt zijn gitaar. Even zomaar wat tokkelen, daar kan hij goed bij nadenken.

Eigenlijk maakt het hem geen bal uit wat hij krijgt. Het maakt hem alleen maar uit WIE hij krijgt. Voor WIE hij een cadeautje moet kopen, voor WIE hij een surprise moet maken, voor WIE hij een gedicht moet schrijven.

Stel je voor dat hij werkelijk het lootje van Yasmin zou trekken. Een surprise weet hij al: een microfoon gemaakt van een oude tennisbal, een leeg wc-rolletje en heel veel aluminiumfolie. Moet alleen het cadeautje er nog in passen. En dan een gedicht erbij. Dat is het belangrijkste.

Mees maakt graag gedichten. Hij schrijft ze op in een speciaal opschrijfboekje, dat hij vorig jaar met sinterklaas van zijn opa kreeg. Er staan gitaren op de kaft en muzieknoten en hartjes. Een beetje meisjesachtig, maar Mees vindt het toch mooi.

Het boekje is al halfvol. Eerlijk gezegd schrijft hij er ook wel eens een mooie songtekst in van een echte liedjesschrijver.

Maar de meeste zijn van hemzelf. Niemand heeft ze ooit gelezen.

Gedichten maken is voor watjes, zegt Daniël altijd. Nou ja, Daniël is een zeikerd.

Mees zet zijn gitaar op de standaard. Hij gaat weer aan zijn bureau zitten, pakt een blaadje en schrijft wat losse woorden op.

Microfoon, gewoon, kloon, zoon... Hmmm, daar kan hij niet veel mee. Nu hoeft een gedicht niet te rijmen. Songteksten rijmen ook niet altijd.

Microfoon, handen, mond, snoer... zingen, fluisteren... Soms laten rockzangers een microfoon aan het snoer door de lucht vliegen, dat vindt Mees altijd zo stoer.

Hij bekijkt de woorden en ziet precies voor zich hoe Yasmin de microfoon vasthoudt en hoe ze ermee speelt. Ze gooit hem van de ene hand naar de andere en soms lijkt het wel of ze het ding een kus geeft. Bij die gedachte wordt Mees helemaal warm van binnen.

Opeens buigt hij zich over het papier en begint haastig te schrijven. Als het echt lukt, lijkt het wel of iemand hem de woorden voorzegt.

Je mond vlak bij mijn kop
fluistert lieve woordjes
hou me vast, stevig vast
met allebei je handen
laat me vliegen, vliegen, vliegen
aan een draadje in het rond
vang me op en

hou me vast, stevig vast
en geef me een kus, een kus, een kus.

Ik wou dat ik die microfoon was, denkt Mees en hij leest de tekst nog eens. Als Hessel er een ritme bij maakt, kan het zomaar een song worden. Het microfoonlied, de *Microphone Song*. Maar dan moet hij het wel aan Hessel laten lezen en hij weet niet zeker of hij dat wel durft.

Mees stopt het blaadje in zijn la en gaat naar beneden.

'Wat maak je?' Mees kijkt in de pan waar zijn moeder ijverig in staat te roeren. Er zit een pruttelende, donkerbruine massa in. Het ruikt naar chocola.

'Borstplaat, suikerhartjes.' Het klinkt steunend, omdat ze uit alle macht roert. Ze gooit wat klontjes boter in de pan en roert en roert...

'Moet de bodem eruit?' vraagt Mees.

Ze is te druk bezig om te lachen. 'Hou op, joh. Hoe harder je roert, hoe zachter het wordt.' Ze houdt de pollepel omhoog en kijkt hoe de massa eraf druipt. 'Bijna goed.'

Op de aanrecht liggen metalen hartjes op bakpapier. Ze zijn ingevet met boter.

Mees' moeder duwt hem opzij. 'Pas op, dit is gloeiend heet.' Voorzichtig giet ze het suikermengsel in de vormpjes. 'Wil je wat voor me doen?'

'Ligt eraan wat,' zegt Mees voorzichtig.

'In de koelkast ligt een bal deeg voor kruidnootjes.'

'Jammie.'

'Jammie ja. En ook heel veel werk.' Terwijl ze de suikerpan schoon schrobt, knikt ze naar een ingevet bakblik op de tafel. 'Knikkertjes rollen en daarop leggen.'

Mees haalt het deeg uit de koelkast en pakt er een klontje vanaf.

'Handen wassen,' roept zijn moeder.

Even later begint hij opnieuw. Het is inderdaad heel veel werk. Er passen wel twaalf deegknikkers naast elkaar. Voor zijn gevoel is hij al heel lang bezig als er één rij vol is. En er kunnen zeker nog negen rijen bij.

Zijn moeder giet nieuwe suiker in de pan en voegt wat vloeistof uit een klein flesje toe. 'Deze worden roze.'

'Wanneer gaan we lootjes trekken, mam?'

'Tja, dat moeten we maar even met z'n vieren overleggen,' vindt zijn moeder.

'Op school doen we het vrijdag.'

Op dat moment gaat de deur open. Daniël komt binnen. 'Wat doen jullie vrijdag?'

'Lootjes trekken voor sinterklaas,' zegt Mees. 'Wanneer zullen wij het hier doen?'

'Maakt me niet uit. Zo snel mogelijk,' vindt Daniël. 'Trouwens, ik heb zaterdagavond een feestje. Bart is jarig.' Hij pakt een deegknikkertje van het blik en stopt het in zijn mond.

'Hééé,' protesteert Mees. 'Rol ze lekker zelf.'

Daniël grijnst hem vriendelijk toe. 'Dat kun jij toch veel beter.' En hij verdwijnt naar boven.

Het ontwerp voor het decor is met de hele klas besproken en

goedgekeurd. Links op het podium komt een boom te staan en rechts een open haard. Het eerste achterdoek wordt een oceaan met een stoomboot, het tweede een straat met een sterrenhemel erboven. De taken zijn verdeeld: Alex heeft de leiding over het bouwen van de open haard, Jim gaat over de boom en de maan die daarin komt te hangen en Shanna is de opperschilder, én ze houdt het grote geheel in de gaten.

Mees en Jaap beginnen met de golven. Ze spuiten blauwe verf uit een plastic fles in een leeg boterkuipje.

Shanna ziet het en geeft meteen een goeie tip. 'Niet alleen maar blauw, hoor! Donkerpaars, donkergroen, donkergrijs. Anders wordt het zo'n vakantiezee.' Ze loopt meteen door naar de kinderen die op het toneel aan het meten zijn hoe groot de open haard moet worden.

'Wat vind jij daar nou van,' zegt Jaap. 'Eerst een blauwe golf, dan een paarse, dan een groene... ook raar!'

Mees zoekt de flessen op met de kleuren die Shanna wil. 'Mengen met zwart, denk ik.'

Jaap zet wat lege bakjes klaar.

Ze kledderen een tijdje met de verschillende kleuren, maar aan het eind zit in elk bakje een eigenaardige baggerkleur.

'Het is helemaal niks,' grinnikt Jaap.

'In elk geval géén vakantiezee,' vindt Mees.

Tot hun stomme verbazing vindt Shanna het een prima kleurtje. 'Hiermee schilder je de basis en later doe je er accenten paars overheen. En groen en blauw.' Met een brede kwast loopt ze naar het oude laken dat het achterdoek moet worden en zet er een paar flinke streken op. 'Kijk, zo golvend, dan zie je de beweging van de zee.'

'En dan op het laatst witte schuimkoppen erop,' bedenkt Jaap.

'Ja, goed,' vindt Shanna.

Mees ziet hoe ze Jaap bewonderend aankijkt. Nou, dan heeft hij ook nog wel een idee. 'Een paar haaienvinnen en een orkastaart.'

'Spannend! Daar had ik nooit aan gedacht,' zegt Shanna.

De jongens werken stevig door. Boven de zee komt lichtgrijze lucht met een paar donkere wolken erin. Dan moet de boel drogen. De schuimkoppen komen later wel, net als wat zeemeeuwen in de lucht.

'En nu de straat.' Shanna heeft in het magazijn een paar rollen behang gevonden. 'Wat ook leuk is: losse huizen maken en op het doek plakken met luciferdoosjes ertussen. Dan springen ze een beetje naar voren.'

'Dat zou ik nou weer nooit bedacht hebben,' zegt Mees. Hij werpt een snelle blik op haar gezicht. Net op tijd om te zien hoe ze naar hem kijkt. Een beetje verward pulkt hij aan een kwast. Zo lief heeft nog nooit een meisje naar hem gekeken.

'Kan ik jullie helpen?' Yasmin is bij hen komen staan.

Mees heeft haar niet horen aankomen en schrikt ervan.

Yasmin vertelt dat ze bij de open haard niet veel kan doen en een ander klusje zoekt. Shanna legt uit wat de bedoeling is. Yasmin vindt het leuk werk en samen tekenen ze de gevel van een grachtenhuis op de achterkant van het behang.

De jongens verven ondertussen de bovenste helft van het tweede achterdoek donkerblauw en de onderkant lichtgrijs. Ze gebruiken grote kwasten, dus het schiet lekker op.

Jaap doet steeds een stapje achteruit om het resultaat te bewonderen. Het duurt elke keer langer voordat hij verder schildert.

Mees kijkt hem onderzoekend aan. 'Is er wat?'

'Lamme arm krijg je ervan!' Jaap schudt zijn arm los.

'Goeie training voor je spieren,' vindt Mees.

Jaap schiet in de lach. 'Beter dan op zo'n roeiapparaat zeker.'

Hè hè, denkt Mees, krijg je dat weer. Hij gaat er niet op in. 'We zijn bijna klaar. Ik maak het wel af.'

Jaap gaat opgelucht bij de open haard in wording kijken.

Shanna komt naar Mees toe. 'Mooi geworden. Alleen nog een beetje saai.'

'Zal ik wat sterren in de lucht strooien?' Hij pakt een dunne kwast en gele verf.

'Wacht, misschien is er zilverkleur,' zegt Shanna. Ze zoekt in de kast en komt terug met een penseel en een klein potje zilververf. Op een los stuk papier zet ze twee lijntjes als een soort scheef plusje.

'Moet het niet zo'n ding met vijf of zes punten zijn?' twijfelt Mees.

Shanna houdt haar hoofd schuin en knijpt een oog dicht. 'Zo schittert het meer,' vindt ze. Ze loopt naar het doek en zet er snel een paar sterretjes op. Dan trekt ze Mees mee naar de andere kant van het lokaal. 'En nu door je wimpers kijken.'

'Gaaf! Net echte lichtpuntjes! Zal ik de Grote Beer maken?' Mees schildert zeven sterren in de vorm van een steelpan.

Shanna vindt het mooi. 'Gekke naam, Grote Beer. Grote

Steelpan was beter geweest.'

Het doek is nu wel af, vindt Mees.

'Hmmm,' doet Shanna kritisch. 'Nog een paar kleintjes daar hoog.' Ze probeert het, maar kan er niet bij. 'Wil jij het doen? Jij bent groter dan ik.'

Mees rekt zich uit, schildert een sterretje en draait zich dan opeens vol ongeloof naar Shanna. Nou jaaa, ze is inderdaad kleiner dan hij. Het scheelt wel tien centimeter. Minstens!

'Is er wat?'

'Huh?'

'Is er wat,' herhaalt Shanna. 'Je staat te staren!' Ze kijkt hem half verlegen, half lacherig aan.

Haar blik schiet als een vlam door hem heen. 'O, nee, eh... nee... is het goed zo?' Hij wijst naar de sterrenhemel.

'Daar nog een en daar,' wijst ze.

Mees durft zich bijna niet meer om te draaien, bang dat ze zijn rooie kop zal zien. Hij zet nog een paar lichtpuntjes op het doek.

'Mooi geworden, jongens!' Het is meester Leo. Ze moeten terug naar de klas. De meester neemt Shanna even apart. Mees hoort wat hij tegen haar zegt.

'We gaan lootjes trekken. Ik kan me voorstellen dat jij liever hier een beetje blijft rommelen.'

Shanna knikt.

Zij mag natuurlijk niet meedoen van haar ouders, snapt Mees. Ook zielig. Hij wordt opeens een beetje kwaad. Eigenlijk zou hij iets tegen haar willen zeggen, maar hij weet niet wat. Shanna staat met haar rug naar hem toe bij de aanrecht en spoelt de kwasten schoon. Met een machteloos gevoel loopt Mees naar de klas.

Het is een opgewonden drukte in de klas. Bij Frederiekes tafel staan een paar meiden te kletsen en ook om Melanie klitten wat kinderen bij elkaar. Mees zit op zijn plaats en denkt aan Shanna.

Eindelijk is iedereen terug uit het handenarbeidlokaal en wordt het stil in de klas. De meester heeft een schoenendoos op zijn bureau gezet. Hij laat een stapeltje blaadjes zien. 'Hierop schrijf je eerst je eigen naam en dan je verlanglijstje. Probleem, Mees?'

Mees heeft zijn vinger opgestoken. 'Nee meester, of, eh... eigenlijk wel. Dat Shanna niet mee kan doen, dat is toch...' Hij probeert het goede woord te bedenken en kijkt de klas rond. 'Dat is toch balen? Voor haar.'

Verschillende gezichten draaien verbaasd in zijn richting. Sommige kinderen halen hun schouders op.

'Vinden jullie dat niet lullig dan?' vraagt Mees.

'Nooit zo aan gedacht,' zegt iemand.

'Dat was vorig jaar toch ook zo?' vraagt een ander.

'En dat kunnen wij toch niet helpen?' roept een derde.

'Maar hij heeft wel gelijk,' zegt Melanie. 'Wij hebben lol en we krijgen cadeautjes en zij heeft dat allemaal niet.'

'Misschien vindt ze dat niet erg,' zegt Frederieke.

Dat had ze nou niet moeten zeggen!

'Tuurlijk wel,' roept Melanie.

En ze krijgt van alle kanten bijval.

'Hállo, niet erg! Zou jij dat niet erg vinden dan? Nou dan!'

De meester tikt met een liniaal op de tafel om de rust terug te krijgen, maar het helpt niet.

Mees staat op. 'Stilte!' schreeuwt hij tot zijn eigen verbazing. En hij is nog verbaasder dat het helpt. Hij gaat weer zitten. 'Zullen we haar met z'n allen een cadeautje geven?' stelt hij voor.

'Voor sinterklaas?' vraagt Hessel. 'Mag dat dan wel?'

'Nee, zomaar. Ervoor of erna, gewoon omdat... omdat, eh... ze zo'n mooi decor ontworpen heeft. Of zoiets.'

Even blijft het stil.

'Leuk, Mees!' zegt Yasmin dan.

'Nou, echt leuk,' vindt Melanie. 'Wie doet er mee? Allemaal twintig cent. Steek je vinger op!' En ze geeft meteen het goede voorbeeld.

Heel wat vingers gaan de lucht in, vooral van meisjes.

Melanie kijkt achterom en gebaart met haar hoofd naar Luuk en Alex. 'Kom op, jullie ook!'

En dan doen heel veel jongens ook mee.

'Zo, dat is geregeld,' zegt Melanie. Ze steekt haar duim op naar Mees en knikt naar de meester. 'Gaan we dan nu die lootjes doen?'

De meester schudt lachend zijn hoofd. 'Je moet juf worden, Melanie. Je hebt talent.' Hij geeft Veerle en Sem ieder de helft van de blaadjes. 'Deel maar uit.'

'Ik heb alles thuis al op een blaadje geschreven, meester,' zegt Sasja. 'Dat kan zo in die doos.'

Dat vindt de meester geen goed idee. 'Het moeten allemaal

dezelfde blaadjes zijn. We vouwen ze ook allemaal precies hetzelfde op. Zo kun je niet zien welk blaadje van wie is en verloopt de loting helemaal eerlijk.'

De leerlingen schrijven. Sommige maken een heel kort lijstje, andere schrijven wel vijf dingen op.

Mees is snel klaar en ziet dat Yasmin nog bezig is. Ik wou dat ik haar blaadje ergens aan kon herkennen, denkt hij.

Melanie zit diep voorovergebogen en houdt haar hand voor haar blaadje, zodat niemand kan zien wat erop staat.

'Dat hoeft niet, hoor,' zegt de meester.

'Tuurlijk wel,' doet Melanie verontwaardigd. 'Het is toch geheim!'

'Welnee, straks na de loting is het pas geheim.'

Ze moet er even over nadenken voordat het doordringt.

Dan begint het opvouwen.

'Eerst doormidden,' zegt de meester. 'Halve slag draaien en weer doormidden.' Hij doet het voor met zijn eigen briefje.

'Nah, het lijkt wel origami,' moppert Luuk, die helemaal niet goed is in handvaardigheid.

'Maar dan makkelijker, toch?' De meester gaat onverstoorbaar door. 'Nog eens draaien en doormidden en dan voor de laatste keer draaien en vouwen.'

Nikita mag met de doos rondgaan. Iedereen gooit zijn propje erin. Mees let goed op als Yasmin het hare in de doos doet, maar hij ziet niks bijzonders waardoor hij het straks zou kunnen herkennen.

De meester doet zijn eigen lijstje erbij en schudt een paar keer, zodat de propjes boven de doos uit springen. 'Zo, dan begint nu...' hij knipoogt naar Melanie, '...het geheime gedeelte! Er is één lastig punt: je moet natuurlijk niet jezelf pakken. Daarom moet je meteen kijken wie je hebt, maar doe dat zo, dat niemand anders het ziet.'

'Dan kun je beter thuis kijken,' stelt Julia voor.

De meester schudt zijn hoofd. 'Dan wordt het te lastig om te ruilen. En om diezelfde reden begin ik.' Hij pakt een propje uit de doos en draait zich om. Aan zijn bewegingen kun je zien dat hij het openvouwt. Dan stopt hij het propje in zijn broekzak en kijkt de klas met een volkomen uitdrukkingsloos gezicht aan. 'Ik heb niet mezelf. Nu jullie. Bibi, kom maar.'

Bibi loopt naar hem toe en pakt een propje. Ze gaat met haar rug naar de klas bij het bord staan en stopt even later net als de meester het briefje in haar zak.

'Nog één ding,' zegt de meester. 'Er wordt dus alleen geruild als je jezelf hebt, maar Frederieke mag ook ruilen als ze mij heeft. Dat is logisch, hè? Dan mag nu Nikita.'

Het gedoe herhaalt zich.

'Jaap, Sasja, Ruben, Veerle.' De meester voert het tempo op.

Jammer, vindt Mees, want zo kun je niet alle gezichten in de gaten houden. Sasja heeft er een kleur van en Veerle schudt haar hoofd.

'Tinka, Jim, Yasmin...'

'Ik heb mezelf, meester.' Tinka laat het opengevouwen briefje zien.

'Vouw maar weer netjes op.'

Ze doet het en gooit het propje terug in de doos. De meester schudt de boel om en dan mag ze opnieuw. Nu gaat het goed.

Jim en Yasmin zitten alweer op hun plaats. Mees kan zich wel voor zijn kop slaan. Door dat gedoe met Tinka heeft hij niet op Yasmin gelet. Stel je voor, dat zij hém had. Dat zou ook gaaf zijn en dan had ze misschien wel naar hem gekeken.

'Alex, Mees...'

Oei, zijn beurt. Ik pak het briefje van Yasmin, zegt hij in zichzelf. Ik pak het briefje van Yasmin. Hij stapt naar voren en kijkt in de doos. Ik pak het briefje van Yasmin. Als hij het maar sterk genoeg denkt, gebeurt het vast. Zijn hand zweeft boven de doos. Ik pak het...

'Nou Mees, schiet eens op. Of wil je er eerst aan ruiken?'

De klas lacht, maar Mees kijkt de meester verstoord aan. Hè, helemaal uit zijn concentratie!

De meester schudt nog eens met de doos en Mees graait er een propje uit. Hij stapt naar het bord en maakt het briefje open. Er komt een waas voor zijn ogen, hij knijpt zijn ogen dicht, maar als hij ze opendoet, leest hij nog steeds dezelfde naam. Met een gezicht van zeven dagen slecht weer loopt hij terug naar zijn plaats.

HOOFDSTUK 9

Zaterdagmiddag tegen enen fietst Mees naar de haven. Luuk gaat daar foto's maken voor de musical en er moeten zo veel mogelijk kinderen van hun klas op staan.

Het is er een enorme drukte, maar gelukkig ziet Mees al gauw Hessel met zijn zusjes en zijn vader. Sasja en Tinka staan vlak bij hen, net als Melanie en een heel stel vriendinnen. Een band speelt sinterklaasliedjes en de meiden zingen vrolijk mee.

'Wat een gedoe,' zegt Mees. 'Ik ben al jaren niet meer naar de intocht geweest.'

Hessel wijst op zijn zusjes. 'Ik moest mee voor die twee. En voor Luuk, natuurlijk.'

Luuk is ijverig met zijn camera in de weer. Hij heeft een pet op waar 'Pers' op staat. Hoe komt hij daar nou weer aan, denkt Mees. Dan ziet hij Jaap ook gewapend met een camera. Hij trekt er een ontzettend serieus gezicht bij. Alex en Ruben steken steeds twee vingers op achter de hoofden van mensen die nietsvermoedend op de foto gaan.

'Hij komt, hij komt er aan,' klinkt het opeens uit de menigte.

De band speelt *Zie ginds komt de stoomboot*. Hessels vader tilt Marit op Hessels nek en Mirte bij zichzelf. Mees gaat op een betonnen paaltje staan en houdt zich vast aan het bord met de stadsplattegrond. Op de rivier vaart een met vlaggetjes versierde boot, die veel te klein is om helemaal over zee uit

Spanje te komen. Zwarte rookwolken kolken uit de schoorsteen. De zusjes van Hessel vinden het geweldig.

Het duurt niet lang of de boot legt aan. Een stuk of tien Pieten zwaaien, Sinterklaas stapt aan wal, de burgemeester houdt een speech die niemand verstaat, en dan gaan ze in optocht van de haven naar het stadhuis. Mees weet overal tussendoor te glippen om bij de Pieten handjes pepernoten te bemachtigen. Soms heeft klein zijn wel voordelen. Hij brengt de pepernoten bij Marit en Mirte en haalt er dan nog wat voor Hessel en zichzelf.

Bij het stadhuis ziet Mees bijna geen klasgenoten meer. Als de feestelijkheden daar afgelopen zijn, loopt hij met Hessel en zijn familie terug naar de haven.

'Yasmin was er niet,' zegt Mees.

'Naar haar moeder,' weet Hessel.

'O ja.' Het is iets wat Mees voortdurend vergeet. Bij de haven zoekt hij zijn fiets om naar huis te gaan.

Hessel vraagt of hij even op hem wacht. 'Mijn fiets ligt achter in de auto. Als je het goedvindt, fiets ik met je mee. Anders ben ik straks thuis en dan kan ik meteen weer weg voor de band.'

Mees loopt met hem mee. Hessels vader pakt de fiets uit de auto en zet de tweeling erin. De meisjes zwaaien hen met bolle wangen van de pepernoten gedag en de jongens zwaaien terug.

'Heb jij al een idee voor een surprise?' vraagt Hessel als ze op Mees' kamer zitten.

Mees zegt een lelijk woord. 'Ik heb me toch een rotlot! Precies degene die ik nóóit zou willen hebben.'

'Frederieke,' raadt Hessel. En als Mees met een chagrijnig gezicht knikt, moet hij ontzettend lachen. 'Echt? Je hebt toch mensen die altijd boffen!'

'Lach jij maar,' snuift Mees. 'Wil je ruilen?'

'Echt niet. Zoek maar een ander.'

'Wie heb jij?'

'Zeg ik niet,' antwoordt Hessel.

'Goh, wat flauw!' vindt Mees.

'Waarom?'

'Ik heb de mijne ook gezegd.'

Hessel beweegt zijn wijsvinger heen en weer. 'Nee nee, ik heb het geraden.'

Zuchtend moet Mees zijn vriend gelijk geven. 'Je hebt mij,' daagt hij hem uit.

Hessel haalt zijn schouders op. 'Ik zeg niks.'

'Dus heb je mij. Anders zou je het wel zeggen.'

Maar Hessel blijft hem met een ondoorgrondelijke blik aankijken en zwijgt.

Na de repetitie met de band staan Hessel, Yasmin en Mees buiten nog wat na te kletsen.

'Heb jij al een idee voor een surprise?' vraagt Hessel aan Yasmin.

'Niks zeggen, hoor!' roept Mees onmiddellijk. 'Hij wil alleen maar weten wie je hebt en zelf zegt hij niks!'

'Je lijkt Sasja wel,' zegt Yasmin tegen Hessel. 'Die weet al van de halve klas wie wie heeft.'

'Dat kan me niks schelen,' beweert Hessel. 'Mees wil ruilen en ik probeer hem te helpen.'

'Heb je zo'n vervelende dan?' Yasmin neemt het tenminste serieus.

'Frederieke,' bromt Mees.

'O, echt? Moet je ruilen met iemand die haar graag wil,' helpt Yasmin.

'Ja, duh. Wie wil haar nou?'

'Veerle misschien?'

Dat hij dat zelf niet bedacht heeft! 'Stom van me,' vindt Mees.

Daniël en Jurre komen naar buiten.

'Haal jij mij vanavond op?' vraagt Daniël. 'Om een uur of negen, half tien?'

'Oké. Later.' Jurre steekt zijn hand op en fietst weg.

'Later,' roept Yasmin.

De jongens houden het bij een zwaai. Dan rijden Yasmin en Hessel de ene, en Daniël en Mees de andere kant op.

Die avond staat er een grote schaal pepernoten op tafel. De moeder van Mees heeft warme chocolademelk gemaakt en er is een stuk boterletter bij. Ze kijken naar een komische show op tv, alleen Daniël is nog boven.

De bel gaat.

'Dat zal Jurre zijn.' Mees loopt naar de hal. Hij doet de voordeur open en ziet naast Jurre een blond meisje staan.

'Hoi, Mees.' Jurre geeft het meisje een zacht duwtje en ze lopen langs Mees de hal in.

'Daniël staat nog onder de douche,' roept zijn moeder vanuit de kamer. 'Kom binnen. Hebben jullie trek in warme chocola? Of liever koffie?'

Mees loopt achter het stel aan de kamer in.

'Dit is Eva,' zegt Jurre.

'Dag mevrouw, dag meneer.' Eva geeft Mees' ouders een hand.

Ze gaan naast elkaar op de bank zitten. Mees' moeder haalt chocolademelk voor Eva en koffie voor Jurre.

Mees gaat weer voor de tv zitten, maar zo af en toe dwaalt zijn blik naar Eva. Ze is echt mooi. Een stuk, zou Daniël zeggen. Jurre kijkt meer naar haar dan naar de tv. Hij legt een hand in haar nek en draait met zijn vingers krulletjes in haar haren. Ze heeft een gouden kettinkje om met een hartje eraan. Jurre trekt het omhoog en laat het dan weer vallen. Zij lacht en geeft hem een luchtkus, waarop Jurre naar haar knipoogt.

Precies zoals hij naar Yasmin knipoogt, denkt Mees. Raar!

Als Daniël beneden komt, drinken ze nog een kop koffie en daarna vertrekken ze.

'Waar is dat feest eigenlijk?' vraagt Mees' vader.

'Bij Bart thuis in de garage,' zegt Daniël.

'Niet te laat thuis, hè!'

'Nee, op tijd,' roept Daniël vanuit de hal.

Zijn vader rolt met zijn ogen en grijnst. 'En geen seconde later!'

Maandagochtend neemt Mees het briefje van Frederieke mee naar school. Echt een goeie tip van Yasmin om met Veerle te ruilen. Moet hij haar alleen nog even te pakken zien te krijgen. Maar ze hangt voortdurend om Frederieke heen. Mees houdt het scherp in de gaten: in de pauze en om twaalf uur en ook 's middags voor schooltijd, maar ze is nooit een tel alleen.

Een briefje! Hij zou een briefje kunnen schrijven. Maar hoe geeft hij dat haar? Ze zit naast Frederieke en die ziet alles. Naar de wc gaan en het dan in haar jaszak stoppen is niet slim, want misschien vindt ze het net als Frederieke bij haar is.

Nee, Yasmins idee is wel goed, maar veel moeilijker uit te voeren dan hij dacht.

In de klas moeten ze rekenen. Lastige sommen over breuken en procenten. Mees moet zijn aandacht er goed bij houden. En juist dan krijgt hij opeens een ingeving.

Veerle is niet goed in rekenen en moet vaak nablijven om haar werk af te maken. Frederieke is meestal wel op tijd klaar. Dus het enige wat hij hoeft te doen is langzaam werken zodat hij ook moet nablijven. Vervelend, maar dat heeft hij er wel voor over. Het enige probleem is de meester. Die mag hen natuurlijk niet horen. Maar ongezien een briefje geven moet lukken!

Mees pakt een schoon kladblaadje en sabbelt op zijn pen. Hij schrijft wat, krast het door, begint zelfs een paar keer opnieuw, maar dan staat het er toch.

Wil jij met mij lootjes ruilen? Ik heb Frederieke.

Mees.

Naast zich hoort hij zacht gegrinnik. Hessel heeft meegelezen. Mees legt zijn pen tegen zijn lippen en buigt zich over zijn sommen. Als ze moeten stoppen, hebben alleen hij en Veerle hun werk niet af.

'Dat ben ik van jou niet gewend, Mees. Vond je het zo lastig?' vraagt de meester.

'Best wel, meester.'

'Om half vier maar even afmaken dan. Jij ook, Veerle.'

Veerle knikt.

Yesss! denkt Mees.

Het gaat precies zoals hij hoopte. Frederieke zegt dat zij alvast naar huis gaat en dan zitten Veerle en hij alleen samen met de meester in de klas. Hij maakt snel de twee laatste sommen.

'Lukt het, Veerle?' vraagt de meester.

Veerle schudt haar hoofd.

'Kom maar hier, dan leg ik het nog een keer uit.'

Als ze bij het bureau staat en hun hoofden over haar schrift gebogen zijn, staat Mees op. Hij heeft het briefje opgepropt in zijn ene hand, zijn rekenschrift in de andere. Terwijl hij rustig naar voren loopt, stopt hij bij Veerles tafel het propje in haar etui. Bij het bureau wacht hij.

'Klaar?' vraagt de meester.

Mees knikt.

'Leg je schrift maar op de stapel. Volgende keer beter doorwerken!'

'Ja meester. Dag meester.'

In de gang hangen nog twee jassen. Traag pakt hij de zijne. Verderop loopt een moeder met een kleuter aan de hand. De schoonmaker is al aan het stofzuigen. Aarzelend blijft hij rondhangen bij de kapstok en slentert dan toch naar de buitendeur. Hij zou naar huis kunnen gaan, want ze heeft nu dat briefje.

Maar als ze hem wil antwoorden, zit ze met hetzelfde probleem als hij: Frederieke! Het is beter als hij het nu meteen met haar afspreekt.

Hij loopt terug naar de klas. Zou ze die sommen nou nog niet snappen?

'Heb je wat vergeten, Mees?' Juf Maaike is op weg naar buiten.

'Ja, nee, eh... ik ga naar huis.' Mees draait zich om en loopt achter de juf aan. Hij wacht wel in het fietsenhok.

Eindelijk ziet hij Veerle naar buiten komen. Met zijn fiets aan de hand rent hij naar haar toe. 'Wat een rotsommen, hè?'

'Pfff, ik snap er niks van. Maar, eh...' Ze haalt een briefje uit haar zak.

Mees herkent het. 'Ik dacht, jij wilt haar natuurlijk graag en ik weet niks voor haar. Een surprise bedoel ik. En een gedicht.' Hij haalt Frederiekes briefje uit zijn zak en geeft het aan Veerle.

'Ik heb mijn lootje niet bij me,' zegt Veerle.

'Geeft niet, joh. Vertel maar gewoon wie het is.' Zeg dat je Yasmin hebt, denkt Mees, zeg dat je Yasmin hebt.

'Luuk.'

Shit, denkt Mees.

'Je moet toch ook weten wat hij wil hebben?' gaat Veerle door.

'O ja. Wat dan?'

'Weet ik niet meer. Morgen krijg je het briefje waar het op staat,' belooft Veerle.

'Stop het maar in mijn jas als je naar de wc gaat of zo. Dat Frederieke het niet ziet.'

'Oké. Dankjewel!'

Dat ging lekker makkelijk, denkt Mees. Nu heeft hij dus Luuk. Beter dan Frederieke. Maar Luuk is niet Yasmin.

Thuis rent hij meteen door naar zijn kamer. Onderweg heeft hij een nieuw plan bedacht. Hij grijpt zijn mobieltje van zijn bureau en toetst Melanie in. Als er iemand is die Luuk wil hebben, is zij het wel. Alleen gaat hij het deze keer handiger aanpakken, want hij ruilt niet voor zomaar iemand.

'Hoi, Mees,' klinkt het in zijn oor.

'Hé, Melanie! Ben jij al aan je surprise begonnen?'

'Nee, hoezo?'

'Nou, ik dacht... Niet verder vertellen hoor, maar ik heb Luuk.'

'O écht? Wil je ruilen?'

Het is precies de reactie waarop Mees hoopte. 'Eh... tja, dat ligt eraan,' zegt hij voorzichtig.

'Wie ík heb, zeker?' snapt Melanie meteen. 'Bibi.'

'Bibi?' De teleurstelling klinkt duidelijk door in Mees' stem. Dat is maar iets minder erg dan Frederieke.

'Was ik al bang voor,' zegt Melanie.

Maar Mees weet een oplossing. 'Als jij nou eerst met iemand anders ruilt...'

Melanie aarzelt. 'Hmmm, wie wil je dan?'

Nu komt het erop aan. Hij moet niet te snel Yasmin zeggen. Het moet een beetje onverschillig klinken, want ze hoeft niet te weten dat hij op haar is. Maar ook weer niet té, want dan denkt ze misschien dat hij ook wel iemand anders wil.

'Nou, eh... tja, eh... laten we zeggen... Yasmin?'

Melanie zucht. 'Tjee, lastig. Ik weet niet wie haar heeft.'

'Maar daar kun jij toch wel achter komen? Jij barst van de vriendinnen. Aan jou vertellen ze het wel.' Mees vindt zichzelf een enorme slijmjurk.

Diepere zucht. 'Pfff, kweenie hoor. Nou, je hoort het nog wel. Doei.'

'Doei.'

Zo. Nu hoeft hij alleen maar geduld te hebben.

HOOFDSTUK 10

Op dinsdag vindt hij inderdaad het verlanglijstje van Luuk in zijn jaszak. Als hij Melanie in de pauze geld geeft voor het cadeautje voor Shanna, vraagt hij of ze al wat weet.

'Helaas, pindakaas,' zegt ze.

'Je moet wel een beetje opschieten. Anders is iedereen al bezig,' waarschuwt Mees.

'Ja-haaa,' doet Melanie bozig. 'Ik zei toch dat het lastig was.'

'Oké oké,' sust Mees. 'Voor zaterdag is ook prima.'

'Hallo, het blijft lastig.'

Mees lacht haar toe. 'Het lukt je wel.'

'Wat lukt haar wel,' vraagt Hessel, die bij hen komt staan.

'Eh, dat geld ophalen voor Shanna,' verzint Mees ter plekke.

'O ja, hier heb je twintig cent.' Hessel diept een munt op uit zijn broekzak. 'Wanneer gaan jullie het cadeautje kopen?'

In de klas is afgesproken dat Melanie en Mees stiften zullen kopen, omdat Shanna graag tekent.

'Morgen. En anders volgende week,' zegt Melanie.

'Dan lukt het wel,' denkt Hessel.

'Wat?' vraagt Mees.

'Dat géld ophalen, zei je net zelf!' Hessel kijkt zijn vriend verwonderd aan. 'Waar zit jij met je hersens?'

Gelukkig voor Mees gaat de bel en hoeft hij het niet uit te leggen.

De volgende dag na schooltijd pakt Mees zijn fiets uit het fietsenhok. Als hij Melanie ziet aankomen, maakt zijn hart een huppeltje. 'Tot vanmiddag,' roept hij gauw naar Hessel en Yasmin, die al wegrijden. Dan is Melanie bij hem.

'Gelukt?' vraagt hij.

'Ja, iedereen heeft betaald.'

Even begrijpt hij haar niet. 'Ooo, het geld! Ik dacht het lootje voor Yasmin.'

Ze schudt haar hoofd. 'Zelfs Sasja weet niet wie haar heeft. Zullen we vanmiddag het cadeautje gaan kopen?'

'Ik moet ook nog repeteren met de band,' zegt Mees.

'Kun je om half twee bij de speelgoedwinkel?'

Melanie vindt het best.

Maar daar vinden ze niet de stiften die ze zoeken.

'Zo kinderachtig,' vindt Melanie, 'met die dikke punten.'

Ze gaan naar buiten.

'Wat nu?' vraagt Mees.

Melanie trekt hem mee. 'Daar is een boekwinkel waar ze ook pennen verkopen. En schriften en knutselpapier en zo.'

'Als het maar niet te lang duurt, zegt Mees.'

'Niet zeuren! Het is voor een goed doel.'

In de boekwinkel komen ze eerst langs de tijdschriften. Melanie wil er even snuffelen, maar Mees niet. 'Kom nou. Kijk daar later maar naar.'

Aan de rechterkant is de boekenafdeling, links liggen de kantoorspullen. Maar stiften zien ze nog niet.

Mees kijkt eens goed rond. Opeens ziet hij achter in de winkel een bekende gestalte. Hij stoot Melanie aan. 'Kijk, Hessel.'

Ze lopen naar hem toe. Hij staat met een verkoopster bij een grote ladekast en zoekt gekleurd papier uit.

'Sitspapier,' fluistert Melanie. 'Zeker voor een surprise.'

'Hé, Hessel,' zegt Mees als ze vlak bij hem zijn.

Hessel schrikt ervan. 'Mees! Eh... hoi, hoi Melanie.' Hij knikt naar een paar vellen donkergroen papier in zijn handen. 'Knutselpapier voor mijn zusjes,' legt hij uit.

Ja ja, denkt Mees. Wat een smoes. 'Of voor de surprise natuurlijk,' daagt hij Hessel uit. 'Die je voor mij gaat maken...!'

Hessel grijnst en zegt niets.

'Wij moeten stiften hebben voor Shanna,' vertelt Melanie.

'De stiften liggen daar,' wijst de verkoopster.

Mees en Melanie lopen in de aangegeven richting.

'En dan nog wat rood, geel en oranje,' hoort Mees Hessel zeggen.

Melanie heeft intussen al een pakje stiften gevonden. 'Dit zijn fijne!'

'Kosten ze?'

'Vier euro vijftig. Wat doen we met de rest van het geld?'

'Een ijsje voor kopen,' grapt Mees.

Hij krijgt een stomp tegen zijn arm. 'Gek, voor dertig cent zeker. Nee, we doen het in het pakje bij de stiften.' Ze peutert het pakje open en doet de muntjes erin.

Mees schudt zijn hoofd. 'Waarom vráág je het dan?'

'Sinterklaascadeautje?' vraagt de verkoopster bij de kassa. Ze pakt al een velletje sinterklaaspapier.

'Ja,' zegt Melanie.

'Nee joh!' roept Mees.

'O nee! Stom!' Melanie moet er ontzettend om lachen.

'Gewoon cadeautje dus?' De verkoopster pakt een ander stuk papier.

Even later staan ze buiten met een mooi ingepakt cadeautje.

'Geef jij het?' vraagt Melanie. 'Jij hebt het bedacht.'

Mees vindt het opeens een gek idee, dat hij Shanna een cadeautje moet geven. 'Doe jij het maar.'

Melanie zeurt er gelukkig niet over. 'We geven het volgende week bij de generale repetitie, hè?'

'Dat is toch afgesproken met de rest?'

Ze knikt. 'Nou, dan ga ik maar.'

'Oké. Denk je nog aan het lootje van Yasmin?'

'Ja ja. Ik kan wel Hessel voor je krijgen.' Hoopvol kijkt ze hem aan.

Mees doet alsof hij twijfelt. 'Hmmm, doe toch maar Yasmin.'

Melanie trekt een veelbetekenend gezicht, maar zegt niets en loopt weg.

Als Mees in het repetitielokaal komt, zijn de anderen er al. Hessel zit zachtjes te drummen, Daniël overlegt met Jeroen over een basloopje en Jurre en Yasmin staan dicht bij elkaar te kletsen. Mees probeert er niet op te letten; hij weet nu dat Jurre verkering heeft, dus waarom zou hij zich druk maken.

Hij loopt naar Hessel toe. 'Vonden je zusjes het sitspapier mooi?'

'Het is niet voor...' Hessels mond klapt dicht, maar hij herstelt zich razendsnel. 'Het is niet voor nu, ze krijgen het pas met sinterklaas.'

Mees wijst met zijn vinger naar Hessels gezicht. 'Ha ha, je wilde zeggen: het is niet voor mijn zusjes. Het is voor de surprise voor mij natuurlijk! Ik wist het, ik wíst het gewoon.' Het laatste zegt hij zo hard, dat de anderen naar hem kijken.

'Wat wist jij?' Yasmin komt naar hen toe.

'Hessel moet een surprise voor mij maken,' legt Mees uit.

Ze kijkt hem met grote ogen aan. Die donkere ogen als zwarte meren waar hij wel in kan verdrinken. Ze zegt iets, maar hij hoort het nauwelijks.

Pas als hij een duwtje van haar krijgt, schrikt hij wakker. 'Wat? Wat zei je?'

'Dat is toch helemaal niet leuk om te weten, zei ik. Ik heb het tegen niemand verteld.'

'Ik ook niet,' zegt Hessel.

Mees houdt zich groot. 'Tuurlijk niet. Maar het is wel leuk om te raden.'

Hessel schudt zijn hoofd en slaat een enorme roffel. 'Beginnen we nog?'

Eerst werken ze een tijdje aan een nieuw nummer. Het is zo ingewikkeld, dat Mees geen tijd heeft om aan iets anders te denken, zelfs niet aan Yasmin. Daarna hebben ze allemaal zin in een paar 'gouwe ouwe', zoals Jeroen dat noemt.

'Effe lekker rammen,' roept Hessel en ze spelen het nummer met zijn drumsolo. Hij gaat helemaal los.

Ten slotte doen ze het lied met de boa-act, zonder de boa. Yasmin maakt wel dezelfde bewegingen en Jurre reageert er ook hetzelfde op.

Zo ziet het er nog veel kleffer uit, vindt Mees. Hij ziet de blik in Jurres ogen en...

Mees speelt automatisch de goede akkoorden, dat kan hij nu wel, en daardoor tuimelen de gedachten in zijn hoofd door elkaar als de balletjes in een lottomachine.

Die blík...! Zo keek hij ook naar Eva, weet Mees opeens weer. Met diezelfde blik keek Jurre naar zijn vriendin en nu...

Gátver!

En Yasmin weet natuurlijk van niks! Yasmin is op Jurre, net als alle meiden, en ze denkt natuurlijk dat Jurre ook op haar is. Mees krijgt opeens medelijden met Yasmin.

'Dit was het weer voor vandaag,' hoort hij Jeroen zeggen. 'Oefenen jullie zaterdag nog met elkaar?'

'Dacht het wel,' zegt Jurre.

'Zullen we volgende week woensdag een keer overslaan?' stelt Daniël voor. 'Iedereen heeft het hartstikke druk met surprises en zo.'

Jurre en Jeroen vinden dat ook een goed idee.

'Kunnen wij mooi nog een keer voor de musical oefenen,' zegt Yasmin tegen Hessel en Mees.

Aan het eind van de week wacht Mees in het fietsenhok tot Melanie naar hem toe komt. Ze begint al van verre met haar hoofd te schudden. 'Sorry, niet gelukt,' zegt ze.

'Shit!' zegt Mees uit de grond van zijn hart. 'Weet je niet wie haar heeft, of wou die iemand niet met je ruilen?'

'Het eerste.'

Mees snapt dat ze er zelf ook van baalt.

'Sasja wist er heel veel, bijna alle meiden. Alleen van Yasmin weet ze het niet, want die houdt het geheim. Maar die kan natuurlijk niet zichzelf hebben, dus daar had je toch niks aan. En ik heb nog via Luuk geprobeerd, maar hem interesseert het geen bal.'

Even staan ze zwijgend bij elkaar. Melanie kijkt om zich heen. Een groepje kleuters speelt verstoppertje rond het fietsenhok. Er is niemand van hun eigen groep.

Mees draait zijn fiets van het slot en trekt hem uit het rek.

Melanie legt haar hand op zijn arm. 'Nou wil jij zeker niet ruilen?'

Mees denkt na. Het kan hem niet veel schelen, want hij heeft nog niets bedacht voor Luuk. Toch heeft hij nog altijd liever hem dan Bibi.

'Als ik je nou een tip geef voor Bibi,' stelt Melanie voor.

'Een tip?'

'Ja, voor een surprise.' Ze kijkt hem hoopvol aan.

'Nou-ou,' twijfelt Mees.

'Bibi is een boekenwurm,' vertelt Melanie. 'Wil voor haar verjaardag altijd alleen maar boeken.'

'Tjoh, hoe gek kan iemand zijn,' zegt Mees.

'Ja, nou ja. Als je haar nou een oud telefoonboek geeft en je snijdt in het midden in een aantal bladzijden een gat waar het cadeautje in past en je plakt de bladzijden aan elkaar, dan zie je dat niet aan de buitenkant.'

Mees kijkt haar wazig aan.

'Snap je het? Anders doe ik het voor. Ik heb zelfs al een oud telefoonboek. Kun je zo van me krijgen.'

Ze wil dat lootje van Luuk wel héél graag hebben, begrijpt

Mees. En het is toch ook wel aardig dat ze zo veel moeite heeft gedaan om het lootje van Yasmin op te sporen.

Omdat hij zwijgt, gaat Melanie verder. 'En een gedicht hoeft ook niet moeilijk te zijn: Sint hoeft voor jou niet lang te zoeken, want jij bent stapelgek op boeken.'

Mees schiet in de lach. Hij rommelt in zijn jaszak tot hij het lootje van Luuk te pakken heeft en geeft het haar. 'Nou goed dan. Veel plezier ermee.'

'O Mees, dankjewel! Je bent een schat, echt waar.' Ze geeft hem het briefje van Bibi en staat te huppelen van plezier. 'Bedankt hoor, hartstikke bedankt.'

'En dat oude telefoonboek?'

'Ga ik nú halen en ik breng het bij je langs, oké?'

Maar dat vindt Mees te gek. 'Ik fiets wel even naar jouw huis. Net zo makkelijk.'

Melanie springt achterop en ze rijden weg.

HOOFDSTUK 11

In het weekend prutst Mees volgens de aanwijzingen van Melanie een surprise voor Bibi in elkaar. In het gat stopt hij een paar gele markers, hij plakt de bladzijden eromheen aan elkaar met dubbelzijdig plakband en bekijkt dan tevreden het resultaat. Omdat markers veel dunner zijn dan een telefoonboek, zijn er heel veel losse bladzijden en maar weinig vastgeplakte. Precies genoeg om er even in te tuinen en dan te zien dat het een grap is. Zo hoort een surprise te zijn.

En nu nog een gedicht. Op zoek naar een blaadje komt Mees de *Microphone Song* weer tegen. Hij leest hem een paar keer over en schudt zijn hoofd.

Het is nooit in één keer goed. Die laatste regel, mwah! Hij verandert hem een beetje en priegelt hem er halverwege tussen. Herhaling is altijd mooi. Hij leest hem opnieuw, schrapt en schuift nog wat, herhaalt een andere regel en slaakt een diepe zucht. Fluisterend zegt hij de woorden.

'Je mond vlak bij mijn kop
fluistert lieve woordjes.
Hou me vast, stevig vast
met allebei je handen
en kus me, kus me, kus me.
Laat me vliegen aan een draadje

in het rond en vang me op.
Hou me vast, stevig vast
met allebei je handen
en kus me, kus me, kus me.'

Zal ik er *Voor Yasmin* boven zetten, vraagt hij zich af. Nee, toch maar niet. Stel je voor dat mama het vindt. Of nog erger: Daniël!

Ooit zal hij het gedicht aan Yasmin geven. Als ze echt zijn vriendinnetje is... later.

Hij rommelt in zijn la op zoek naar zijn gedichtenboekje. Pas als een tekst helemaal goed is, schrijft hij hem daarin. Als hij klaar is, scheurt hij het losse blaadje in honderdduizend snippertjes.

Hij pakt een nieuw blaadje en begint aan het sinterklaasgedicht voor Bibi. Wat had Melanie ook alweer bedacht? Iets met zoeken en boeken... O ja!

Sint hoeft voor jou niet lang te zoeken
want jij bent stapelgek op boeken
dikke, dunne, grote, kleine,
oude, nieuwe, hele fijne.

Een beetje raar, hele fijne, maar het rijmt wel. Mees zakt onderuit op zijn stoel en sabbelt op de achterkant van de pen. Toch jammer dat hij Yasmin niet heeft. Hij had haar zo graag een cadeautje gegeven. En dat kan nou niet. Wanneer zou ze eigenlijk jarig zijn? Dat duurt misschien...

Mees schiet rechtop. Hoezo, dat kan nou niet? Dat kan best! Hij gaat haar iets geven, niet voor sinterklaas, maar omdat... nou ja, zomaar. Hij wordt helemaal trots en vrolijk van het idee, totdat...

Totdat het hem te binnen schiet dat hij hartstikke blut is. Cadeautje gekocht voor zijn moeder, cadeautje voor Bibi, geld voor Shanna... Hij pakt zijn portemonnee en schudt hem leeg op zijn bureau. Het tellen duurt niet lang.

Dertig cent. Shit! Wat kun je nou kopen voor dertig cent? Een voorschot vragen op zijn zakgeld heeft geen zin, weet hij. Sparen tot hij genoeg heeft, duurt zo lang. Hij wil nu wat geven, nú!

Fronsend kijkt hij naar het gedichtje voor Bibi. Hij kauwt nog eens stevig op zijn pen en schrijft het in één ruk af.

Echt, het kan zo gek niet wezen
of jij wilt ze allemaal lezen
daarom krijg jij dit jaar van Sint
iets wat jij fantastisch vindt.

Een hartje! Zo'n gouden hartje, zoals Eva om had! Dat zou gaaf zijn, als Yasmin mijn hartje droeg, denkt Mees. Maar ja, véél te duur...

Helemaal af is het gedicht nog niet. Er moeten nog een paar regels bij.

Of vind jij het maar zozo?
Zoek dan snel het echte cadeau.

Klaar! Het is geen wereldgedicht, maar dat kan Mees niet schelen.

Hij rent de trap af. In de keuken doet hij het kastje open waarin mama de snoepvoorraad bewaart. Er staan allerlei trommels en doosjes, en Mees maakt ze allemaal open.

'Honger?' Zijn moeder komt de keuken in.

'Heb je nog van die hartjes die je laatst hebt gemaakt?'

'Nog een paar, denk ik. Maar niet daar.' Ze doet een andere kast open, pakt een roze hart van een schaaltje en houdt het omhoog. 'Kijk, de laatste.'

Mees steekt zijn hand uit, maar zijn moeder geeft het hem niet.

'Zullen we het delen?' Bijna breekt ze het hart doormidden.

'Néé! Niet stukmaken!' Mees maakt bezwerende gebaren met zijn handen.

'Hallo, ik mag toch ook wel een stukje?'

'Ja maar... nee, ik wil het weggeven. Het is een cadeautje!'

Zijn moeder kijkt hem verrast aan. 'Ooo, wat leuk! Voor wie is het?'

'Moet je dat per se weten, mam?' Mees trekt een smekend gezicht.

'Als het maar geen cadeau voor jezelf is,' lacht ze.

Hij haalt opgelucht adem. 'Bedankt, mam.'

'Wil je het mooi inpakken?' Ze pakt een doos met cadeaupapier en strikken en lintjes. 'Kies jij maar wat het beste past, jij weet voor wie het is. En doe er eerst folie omheen.'

Een kwartiertje later kijkt Mees tevreden naar een prachtig pakje met roze en rode lintjes.

Op school wordt iedereen steeds enthousiaster over de musical. Het decor is prachtig geworden, in de open haard brandt een laaiend nepvuur, Jim heeft er uren over gedaan om de maan zo bleek mogelijk uit te lichten, Mees' vader heeft het drumstel van de band naar school gebracht en de acteurs kennen hun rol.

'Morgenochtend generale repetitie,' zegt meester Leo op woensdag.

Die middag gaat Mees op de fiets naar Oostsluisjesdijk om nog één keer de sinterklaasliedjes te oefenen. Zijn gitaar hangt op zijn rug en in zijn jaszak zit het cadeautje voor Yasmin. Hij wil het haar geven als hij alleen met haar is en dat gebeurt niet vaak.

Nu heeft hij bedacht dat hij na het oefenen met haar mee zal fietsen naar haar huis en dan...

In de schuur van Hessel staan wat stoelen op een rijtje.

'Mijn moeder vroeg of ze mocht komen luisteren met mijn zusjes,' legt Hessel uit.

Yasmin en Mees vinden het best en Hessel gaat ze halen.

'Met publiek is toch altijd het leukste,' zegt Yasmin.

Mees zou haar graag het pakje nu al geven, maar Hessel kan elk moment terugkomen.

'De repetities met de band zijn natuurlijk ook hartstikke gaaf. Ik mis het gewoon als we overslaan.' Yasmin slaat een roffeltje op de kleine trom.

Mees klapt in zijn handen. 'Jij had ook wel drummer kunnen worden.'

'Van mijn opa geleerd.'

Mirte en Marit komen binnen. Hun moeder heeft Lisa op haar arm. Hessel doet de deur dicht en gaat op zijn kruk zitten. Mees hangt zijn gitaar om en Yasmin staat klaar om te beginnen.

'Zingen jullie mee?' vraagt ze aan de meisjes. 'Zie ginds komt de stoomboot...'

Mirte en Marit zingen luidkeels mee en Lisa springt op en neer op haar moeders schoot. Hun ogen stralen en Mees vindt het geweldig. Het maakt hem niets uit of hij voor een volle zaal speelt of voor drie kinderen en hun moeder. Als ze zó genieten, is dat kicken!

Na afloop van het miniconcert trakteert Hessels moeder op speculaas en chocolademelk. Daarna gaat ze met de zusjes terug naar binnen en de drie muzikanten kletsen nog wat na. Over de musical en over de surprises en over Shanna en uiteraard over de band.

'Bo vond het zo cool allemaal, vooral mijn act met de boa,' lacht Yasmin.

Hè ja, dat vooral, denkt Mees, en hij ziet meteen weer voor zich hoe Jurre en Yasmin naar elkaar keken. Eigenlijk zou ze het moeten weten, van Eva en Jurre, want hoe langer ze verliefd op hem blijft, hoe erger het voor haar is als het uitkomt. Wat zal ze zich dan bedonderd voelen.

'Hallo dromer, ga je mee?' Yasmin heeft haar jas al aan.

Mees springt op. 'Wacht even, zó klaar.' Hij trekt razendsnel zijn jas aan, schuift zijn gitaar in de hoes en haast zich achter haar aan naar buiten. Naast elkaar fietsen ze de straat uit.

Nu moet hij het haar vertellen, denkt Mees. Het is niet ver

naar haar huis, dus hij kan niet eerst een kletspraatje bedenken. Nee, het moet meteen. 'Eh... Yasmin, ik moet je wat vertellen,' begint hij en houdt dan zijn mond.

'Wat dan?'

Mees schraapt zijn keel. 'Het gaat over Jurre.' Hij kijkt haar van opzij aan.

'Opletten!' roept ze. 'De hoek om!'

Mees maakt een zwieper met zijn stuur en even later fietst hij weer naast haar.

'Wat is er met Jurre?' vraagt Yasmin.

'Nou, eh... Jurre kwam laatst... Jurre heeft verkering.' Hè hè, het is eruit.

Yasmin knijpt in haar remmen.

Het gebeurt zo onverwacht, dat Mees een stukje doorrijdt. Arme Yasmin, denkt hij. Hij keert om en gaat naar haar toe. 'Ben je zo geschrokken?'

Ze wijst naar het huis. 'Ik woon hier, weet je nog wel.'

Mees ziet nu pas dat ze er al zijn.

'En dat van Jurre, dat wist ik allang van Melanie. Met hoe-heet-ze-ook-weer,' zegt Yasmin. 'Blond, mooi, Eva, dat was het.'

Ze wist het al! Mees voelt zich opeens ontzettend dom. 'Vind je dat niet erg dan?'

'Erg?'

'Nou ja, eh... jij bent toch op hem?'

'Ik? Op Jurre??? Hou op, schei uit! Hoe kom je erbij?'

'Iedereen denkt dat,' jokt Mees. Voor geen goud durft hij nu nog te zeggen dat het zijn eigen idee was. 'Als je met die boa hem zo... en hoe jullie dan met je hoofd...'

'O, dat? Joh, dat is allemaal show! Dat het er een beetje gelikt uitziet en zo. Dat is niet echt!'

Ze meent het, hoort Mees.

Yasmin praat verder. 'Bovendien wil ik geen verkering. En al helemaal niet met iemand van de band.'

Wat? Wat zegt ze nu? Niet met iemand van... Zei ze dat echt? Mees móét het zeker weten. 'Ook niet met... met Hessel?' vraagt hij. 'Met mij' durft hij niet.

'Nee joh, verkering in een band, da's niks, zegt mijn opa. Trouwens, de band heet toch Yasmin and friendsssss?' Ze laat de s extra goed horen. 'Jullie zijn allemaal mijn vrienden. Dan kan ik toch niet met één...'

Mees knikt vol begrip. 'Tuurlijk niet. Zeg, ik ga naar huis.'

'Oké, tot morgen.'

Hij zwaait en fietst de Oude Dijk op. Hij heeft tegenwind en de tranen springen in zijn ogen van de kou. In zijn jaszak zoekt hij zijn wanten. Hij voelt het pakje met de lintjes. Helemaal vergeten. Maar beter ook.

Leeg en hol voelt hij zich. Yasmin, Yás-mííín, alsof hij haar naam roept in een tunnel, zoals dat klinkt, zo voelt het van binnen.

Het waait hard, het stormt bijna. Mees trapt voorovergebogen tegen de wind in. Rotwind! Wat een klere-eind is het nog! Woedend stampt hij op de trappers, steeds verder van Oostsluisjesdijk, steeds verder weg van Yasmin. Hijgend komt hij aan het eind van de dijk. Achter de huizen van de haven merk je bijna niks van de wind. Hij fietst rustig door het park, langs het busstation en het winkelcentrum naar huis.

'Ging het goed?' vraagt zijn moeder.

'Best wel. Morgen generale en overmorgen echt.'

's Avonds in bed denkt hij nog even aan de woorden van Yasmin. Show, allemaal show. Hij lacht stil voor zich uit. Oké, Yasmin wil dus niet met hem, maar ook niet met Jurre. Verkering in een band is niks. Ze zijn allemaal vrienden.

De volgende morgen is hij al vroeg op het schoolplein. Als Hessel en Yasmin aan komen fietsen, dringt het opeens tot hem door dat hij blij is om ze te zien. Gewoon blij, zonder moeilijke gedachten aan Yasmin, of aan Jurre en Yasmin en al helemaal niet aan Hessel en Yasmin.

'Hoi!' roept hij en hij steekt zijn gitaar in de lucht.

Ze zetten hun fietsen weg.

'Mijn zusjes waren vanmorgen nog steeds door het dolle heen van gisteren,' vertelt Hessel. 'Mirte speelt steeds luchtgitaar. Ze is helemaal gek van je.'

'Tja, wie niet?' zegt Yasmin met een knipoogje naar Mees.

'Ja, zo kan-ie wel weer.' Mees doet alsof hij haar wil slaan en met z'n drieën lopen ze de school in.

In de klas heerst een opgewonden stemming. De meester wil eigenlijk eerst een rekenles doen, maar hij ziet gelukkig op tijd in dat daar niets van terecht gaat komen. De kinderen willen maar één ding: de generale repetitie van de musical. Sommige moeten zich verkleden als volwassene, maar de meeste spelen gewoon kind en zijn dus meteen al klaar.

Shanna frummelt nog wat aan het rode papier van het openhaardvuur. Luuk is bezig met zijn laptop. De meester heeft het scherm net naast het podium gezet. Daarachter probeert Jim of alle lampen nog werken.

Mees, Hessel en Yasmin staan aan de andere kant van het podium. Mees speelt de eerste drie tonen van *Zie ginds*.

'Het Wilhelmus!' roept meester Leo.

De klas kijkt hem ongelovig aan.

'Beginnen we met het volkslied?' vraagt Melanie.

'Dat speelt hij toch?' De meester wijst naar Mees. 'Doe nog eens.'

Ze luisteren, terwijl Mees weer *Zie ginds komt* speelt.

De meester zingt mee. 'Wil-hel-mus.'

Het klinkt precies hetzelfde. Sommige kinderen lachen, andere schudden hun hoofd. Gekke meester!

'Nee, nu zonder dollen,' zegt die gekke meester. 'Zijn we er klaar voor?'

'Jááá,' roepen ze in koor.

En dan spelen ze en zingen en dansen, en voelen zich echte musicalsterren. Shanna zit in de zaal en vormt het publiek. De meester onderbreekt de voorstelling een paar keer en geeft nog wat kleine aanwijzingen, maar het meeste gaat goed.

Na afloop klapt Shanna in haar handen. 'Hartstikke gaaf.'

De spelers buigen en juichen. Dan stapt Melanie naar voren. Mees ziet dat ze het pakje in haar hand heeft dat ze samen gekocht hebben.

'Allemaal zitten,' roept ze. 'Ik wil wat zeggen.'

De kinderen ploffen neer op het podium. Ze weten wat er gebeuren gaat en kijken met glinsterogen naar Shanna. Die kijkt nietsvermoedend naar Melanie.

'Shanna, we vinden dat je zo'n mooi decor ontworpen hebt! Zonder dat was het lang niet zo'n gave voorstelling geworden,' zegt Melanie. 'En omdat je er morgen niet bij bent, hebben we met z'n allen een cadeautje voor je gekocht.' Ze stapt naar Shanna toe en geeft haar het pakje.

'O.' Shanna wordt nog roder dan het haardvuur. Ze staat daar maar en draait het pakje om en om in haar handen.

'Het is dus geen sinterklaascadeautje,' voegt Melanie eraan toe. 'Maak nou open.'

Shanna scheurt het papier eraf en bekijkt de stiften. 'Mooi. Dank je wel allemaal.'

'Het was het idee van Mees,' zegt Yasmin. 'Hem moet je het meest bedanken!'

Mees maakt een afwerend gebaar. 'Hoeft niet, hoor.'

'Ja, wel, hoeft wel,' roept iemand.

En als Shanna een stapje in Mees' richting zet, joelen een paar jongens: 'Zoe-nen, zoe-nen!'

'Nee nee, hoeft niet.' Met uitgestoken armen probeert Mees het onheil te voorkomen. Shanna kijkt naar hem op. Ze heeft prachtige blauwe ogen, ziet hij, zo blauw als de zee. Hij zou erin kunnen zwemmen.

'Dank je wel, Mees!' Ze zegt het zacht en ze lacht liever dan er ooit iemand naar hem gelachen heeft.

'Oké,' doet Mees een beetje onverschillig, maar zijn hart roffelt bijna nog harder dan Hessel op zijn trommels.

Meester Leo jaagt hen terug naar de klas. 'Want er moet ook nog gerekend worden!'

sOm twaalf uur gaan Hessel en Yasmin naar de overblijf. Ze zwaaien naar Mees, die zijn jas aantrekt. Terwijl hij hem dichtdoet, ziet hij Shanna's jas hangen. Moet zij ook naar de overblijf? Een blik in het lokaal leert hem dat ze haar werk af moet maken. Hij pakt zijn wanten uit zijn jaszak en voelt... Hé, het pakje met het hart. Helemaal vergeten. Hij haalt het tevoorschijn. De lintjes zijn nogal verfrommeld. Mees kijkt links en rechts de gang in. Leeg. Wonderlijk hoe snel iedereen altijd weg is. Hij prutst nog wat aan een lintje, laat het pakje in Shanna's zak glijden en rent naar buiten.

HOOFDSTUK 12

'Hoe waaien de wimpels al heen en al weer,' zingt Yasmin en de hele school galmt mee.

De foto's van Luuk zijn een groot succes, want veel kinderen herkennen zichzelf.

De voorstelling loopt gesmeerd, tot ze bij het laatste lied komen.

'Sinterklaasje kom maar binnen met je knecht,' zingen ze, maar al na de eerste regel klinkt er een raar geluid tussendoor. Luider en luider wordt het, tot de zaal bijna trilt door een enorm kabaal. Mees en Hessel stoppen met spelen, de kinderen op het podium luisteren met verbaasde gezichten. In de zaal snapt niemand wat er gebeurt. Het duurt ongeveer een halve minuut, dan wordt het langzaam zachter.

Op het podium zegt Ruben, die de vader speelt: 'Dat leek wel een helikopter. Ga jij eens buiten kijken, Melanie.'

Melanie rent weg en is een paar tellen later opgewonden terug. 'Het is Sinterklaas! Kom mee, hij staat op het dak!'

Binnen een paar minuten stroomt de hele zaal leeg. Op het plein kijkt iedereen omhoog en ja hoor, daar staat Sint met twee Pieten op het platte dak van de school.

'Sinterklaas!' roept meester Leo. 'Wat doet u op het dak?'

'O, meester Leo,' zegt Sinterklaas. 'Wat een toestand nou toch.'

De kinderen op het plein luisteren ademloos.

'Vanmorgen stond mijn paard doodmoe van het cadeautjes rondbrengen in zijn stal. Veel te moe om mij hierheen te brengen. En met een auto zou ik veel te laat geweest zijn door alle files. Daarom zijn we met de helikopter gekomen. Die is hier op het dak geland en net weer weggevlogen, maar hoe kom ik er nou af?'

Meester Leo kijkt vragend naar de kinderen. 'Jongens, wat nu?'

Terwijl iedereen hulpeloos rondkijkt, zwaait Luuk met zijn mobiel. 'Nah, de brandweer bellen, natuurlijk!'

Meteen horen ze al een sirene in de verte. Een rode brandweerauto komt om de hoek stuiven en rijdt voorzichtig het plein op. Twee brandweermannen gaan in een soort liftbak omhoog. Ze helpen Sinterklaas met instappen en onder luid gejuich komt hij heel voorzichtig naar beneden. Voor de Pieten wordt een lange ladder uitgeschoven en zij klauteren omlaag. Sint bedankt de brandweermannen en van de Pieten krijgen ze een hand pepernoten.

'Welkom, Sinterklaas,' zegt meester Leo. 'Wat ben ik blij dat u er bent.'

'Anders ik wel,' zucht Sint.

'Kinderen, Sinterklaas komt straks in alle klassen op bezoek. Daarom moeten jullie nu terug naar je eigen lokaal.'

Sint zwaait en de kinderen zwaaien terug. Eindelijk staat alleen groep acht nog op het plein. Zij gaan als laatste naar binnen met Sinterklaas. Als ze langs het podium lopen, zegt Sint: 'Laat dat helikoptergeluid nog eens horen, Jim.'

Met een brede grijns drukt Jim op een knop van de cd-speler. Heel even horen ze de helikopter, maar Jim drukt meteen op de stopknop. 'Straks rent de hele school weer naar buiten.'

'Net echt,' lacht Sinterklaas. 'Een fantastisch idee, jongen.'

En Jim straalt.

In de klas staan de stoelen in een kring en in het midden ligt de stapel surprises. Er staat ook een tafeltje.

Als iedereen zit, loopt meester Leo goedkeurend om de stapel heen. 'Ze zien er prachtig uit, jongens.' Hij kiest een pakje uit en legt het op het tafeltje. 'Bibi.'

Bibi loopt naar het tafeltje en haalt het gedicht uit de envelop die op het pakje zit. Ze leest het voor en er wordt gegrinnikt en geklapt. Even later staat ze met het telefoonboek in haar handen.

'Lekker spannend boek,' roept iemand.

Bibi bladert wat en ontdekt al gauw het vastgeplakte gedeelte. Na wat scheurwerk heeft ze de markers te pakken. 'Dank je wel, Sinterklaas.'

Mees kijkt even naar Melanie. Ze steekt stiekem haar duim op. Dan kijken ze allebei naar Sasja, die nu aan de beurt is.

De ene na de andere prachtige surprise wordt uitgepakt; naar de gedichten wordt goed geluisterd. Aan sommige gezichten kun je zien dat ze de maker van het pakje zijn, andere verraden niets.

Hessel krijgt een trommel waarin een stripboek is verstopt, Fredje een enorme spekmuis en Luuk een zwembad. Het is een grote doos waarin cellofaanpapier het water voorstelt. Aan elke kant drijft een doel van satéstokjes met een gehaakt netje eraan en poppetjes met wit en blauw geverfde koppen liggen in het water.

Melanie wiebelt op het puntje van haar stoel, ziet Mees. Straks roept ze nog dat de surprise van haar komt.

Meester Leo pakt nu een ronde mand met een deksel erop. 'Yasmin,' leest hij.

Mees veert op en kijkt de klas rond. Niemand kijkt extra trots, niemand slaat zijn ogen verlegen neer, iedereen lijkt gewoon nieuwsgierig.

'Een boa constrictor is een enge slang
maar jij bent helemaal niet bang
jij hebt zó ontzettend veel moed
wat jij niet allemaal met een boa doet,' leest Yasmin.

Wat knap bedacht, denkt Mees. Terwijl Yasmin verder leest, bestudeert hij de gezichten. Sommige kinderen kijken naar hem. Natuurlijk houdt hij zijn gezicht in de plooi, net als alle andere.

Yasmin heeft het gedicht uit. Ze tilt voorzichtig het deksel op. Er zit een draad aan vast en langzaam trekt ze een slang omhoog. Hij is gemaakt van wc-rolletjes, beplakt met groen sitspapier. De rolletjes zijn als een ketting aan een touw geregen, zodat de slang alle kanten op kan bewegen. Uit zijn bek hangt een vuurrode vorktong. Het beest is zo lang, dat de meester Yasmin moet helpen om de slang om haar nek te hangen. Yasmin houdt met haar handen de kop en het staartstuk vast. Ze danst ermee door de kring en laat de kop voor het gezicht van Sasja slingeren.

'Huuu,' griezelt Sasja en ze slaat haar handen voor haar ogen.

Yasmin danst langs Melanie en Luuk, raakt met het tongetje de neus van Hessel aan, die daar erg om moet lachen, en komt dan bij Mees. Ze drapeert een stuk van de slang om zijn nek.

Hij voelt dat hij rood wordt tot in zijn hals.

'Show, allemaal show,' fluistert Yasmin en ze danst onder luid applaus terug naar het tafeltje.

'Meester, hoort dat ding ook bij de surprises?' Melanie wijst naar het bord.

Op een hangertje aan de zijkant ziet Mees een versierde stofjas. Hij heeft steeds zo naar de stapel surprises en de kinderen gekeken, dat het ding hem niet eerder opgevallen is. Op de mouw zit een envelop.

'Mees,' leest de meester. Hij haalt de jas van het hangertje en helpt Mees met aantrekken.

De klas schiet in de lach. Mees snapt dat het een komisch gezicht is. De jas is versierd met slingers en strikken en vlaggetjes en er zweven zelfs wat luchtballonnen boven zijn hoofd.

Bijna automatisch steekt hij zijn hand in een zak en voelt... Ja, wat voelt hij daar? Voorzichtig haalt hij met zijn hand wat van het spul eruit: confetti! Hij grijnst en strooit het meteen over zijn klasgenoten uit. Aan de ceintuur hangen een ratel en een toeter met een rubber bal waar je in moet knijpen. In een andere zak vindt hij een roltong. Hij blaast er een paar keer op en pakt dan het gedicht uit de envelop. Het is maar kort, zó kort dat het daardoor nog lolliger is.

De grappigste jongen van de klas
krijgt dit jaar van Sint een grapjas.

Mees zoekt verder en in een borstzakje vindt hij serpentines. Hij slingert ze door de klas. Aan de binnenkant zitten ook zakken. Daar is zijn cadeautje verstopt, maar ook een plastic flesje met bellenblaasspul. Binnen een paar tellen zweven er tientallen bellen door het lokaal. Eindelijk pakt hij zijn cadeautje uit. Net zulke stiften als die van Shanna, ziet hij. Hij is er blij mee, maar eigenlijk is de surprise zo leuk dat het cadeautje er niet meer toe doet.

'Zo, Mees is geweest en het is meteen een bende in de klas,' constateert de meester.

Mees haalt breed lachend zijn schouders op.

Als alle kinderen hun surprise uitgepakt hebben, is de ochtend om. Vanmiddag hebben ze vrij.

Mees, Hessel en Yasmin praten na in het fietsenhok. Yasmin wacht tot opa haar op komt halen.

'Die jás, echt een wereldsurprise!' Hessel schiet weer in de lach. 'Het zag er zó maf uit!'

Hij meent het echt, merkt Mees. Zou Hessel hem dan toch niet gehad hebben? 'Ik vraag me af wie hem gemaakt heeft.'

'Kan jou het schelen,' vindt Yasmin. 'Daar wordt hij niet leuker van, toch?'

Mees knikt. Waarschijnlijk heeft ze gelijk.

Yasmin tilt het deksel van de mand en aait over de kop van

de slang. 'Ik heb ook geen idee van wie ik die boa heb gekregen. Ik vind hem zó cool met al die kleurtjes.'

Op de groene rolletjes zijn figuurtjes geplakt van sitspapier, rood en geel en oranje en dan herinnert Mees zich opeens...

Zijn mond zakt open en hij kijkt met grote ogen naar Hessel. Die schudt bijna onmerkbaar zijn hoofd en trekt een gezicht van: niks zeggen, hoor!

Yasmin ziet Mees' verbaasde gezicht. 'Wat is er?'

'Niks,' zegt Mees. 'Hessel moet geloof ik nog een cadeautje kopen voor zijn zusjes.'

Hessel snapt het meteen. 'Ja, zin om mee te gaan?'

Er klinkt getoeter van een auto.

'Mijn opa,' zegt Yasmin. 'Tot maandag.'

De jongens zwaaien haar na.

'Lelijke leugenaar,' grinnikt Mees.

Hessel knikt heftig. 'Voor mijn zusjes heb ik een prentenboek.'

'Leuk.'

Ze stappen op hun fiets en gaan naar huis.